Studentessa Sottome

Erika Sanders
Serie
Collezione di dominazione erotica

Sinossi

Questo libro è composto dalle seguenti storie:
    Studentessa Sottomessa
    Dottoressa molto comprensiva
    In ufficio

Studentessa Sottomessa è un romanzo dal forte contenuto erotico BDSM e, a sua volta, un nuovo romanzo appartenente alla raccolta Erotic Domination and Submission, una serie di romanzi dall'alto contenuto romantico ed erotico BDSM.

(Tutti i personaggi hanno 18 anni o più)

Nota della scrittrice:

Erika Sanders è una nota scrittrice internazionale, tradotta in più di venti lingue, che firma i suoi scritti più erotici, lontani dalla sua prosa abituale, con il suo nome da nubile.

Indice:

STUDENTESSA SOTTOMESSA E ALTRE STORIE
ERIKA SANDERS

STUDENTESSA SOTTOMESSA

PRIMA PARTE
LETTERA DI
RACCOMANDAZIONE

CAPITOLO I

Cynthia era seduta fuori dall'ufficio del professore.

Si avvicinavano gli esami finali, il che significava che il professore sarebbe stato impegnato a incontrare gli studenti.

Attese almeno venti minuti mentre la porta dell'insegnante rimaneva chiusa.

Ero un po' nervoso aspettando questo insegnante che era tipicamente severo.

Quando la porta si aprì, vide l'insegnante parlare con un altro studente, che si stava preparando per uscire.

Cynthia si alzò mentre l'altro studente se ne andava, e il professore rivolse la sua attenzione a lei.

Era un uomo alto, ben vestito, sposato e sulla cinquantina d'anni.

"Cynthia, è bello vederti," disse. "Hai un appuntamento?"

"No. Mi dispiace, professore. Questa è una cosa dell'ultimo minuto."

"Sono sicuro che conosci la mia politica riguardo agli incontri. Spero che venga fissato prima un appuntamento, altrimenti ci sarebbe sempre una lunga fila davanti alla mia porta."

Fece un respiro profondo cercando di acquisire fiducia.

"Me ne rendo conto. Ma qui in questo momento non c'è nessuno. Sono sicura che potrai fare un'eccezione per me."

"Bene. Solo perché sei uno studente che lavora sodo. Entra."

Lui fece uno strano sorriso e le fece cenno di entrare nel suo ufficio, poi chiuse la porta.

Il professore si sedette dietro la sua scrivania e Cynthia si sedette di fronte a lui.

"Come posso aiutarla?" Chiese mettendosi comodo al suo posto.

"Bene, ho pensato molto ultimamente e ho deciso di iscrivermi alla facoltà di giurisprudenza per il prossimo anno. Ho già seguito il corso di ammissione e sono riuscito a ottenere un punteggio alto. Anche la mia media è superiore a B+."

Annuì.

"Una scelta interessante. Penso che farai molto bene a giurisprudenza. Non è facile, ma sicuramente hai la personalità e il cervello per farlo."

"Grazie," sorrise.

"Suppongo che tu voglia una mia lettera di raccomandazione?"

"Ecco perché sono qui. Sei il primo insegnante a cui lo chiedo e spero davvero che lo farai per me."

"Quindi sono la tua prima scelta? Perché? Sono curioso."

Cynthia si sentiva un po' intimidita.

"Beh, ha un'ottima reputazione in questa università. Ed è anche il presidente del dipartimento, il che penso farà bella figura sulla mia domanda."

"Ho anche collegamenti con le migliori scuole di giurisprudenza. Lo sapevi?"

Lei annuì timidamente.

"Lo sapevo. Voglio dire, l'ho sentito da altri studenti. Ma non ero sicuro se fosse vero o no."

"Ho amici intimi che fanno parte del comitato di ammissione in alcune delle migliori scuole di giurisprudenza. Pertanto, le mie lettere di raccomandazione sono molto utili."

"Considereresti di scrivermi una lettera?" chiese in tono timido.

"Non posso", rispose senza mezzi termini. "Purtroppo è troppo tardi."

"Perché? La scadenza per le iscrizioni alla facoltà di giurisprudenza è l'inizio del prossimo anno."

"Vero. Ma scrivo solo due lettere di raccomandazione alla fine di ogni semestre. È una mia politica personale. Altrimenti dovrei scrivere lettere per tutti. Allora le mie raccomandazioni sarebbero inutili, dato che qualunque mio studente potrebbe prendine uno. Ha senso per te, Cynthia?

"Ce l'ha."

"Se fossi venuto prima, lo avrei fatto per te. Sei uno degli studenti più capaci che ho avuto negli ultimi anni. E questo significa molto, dato che questa università è piena di studenti dotati." "

"Se pensi che io sia uno dei tuoi migliori studenti, perché non puoi fare un'eccezione per me?" implorò.

"Te l'ho detto. La mia regola è due raccomandazioni a semestre. Seguo sempre le mie regole. In tutti i miei anni di insegnamento, non ho mai fatto un'eccezione. Mai."

Tenne brevemente la testa abbassata, prima di riprendere la compostezza.

"Capisco," rispose lei, preparandosi ad andarsene. "Grazie per il suo tempo, professore."

"Aspetta," disse, fermandola. "Lo sai che quest'anno andrò in pensione, vero?"

"Sì, l'ho sentito".

"Questo sarà il mio ultimo insegnamento del semestre. Potrei scriverti una lettera di raccomandazione all'inizio del prossimo anno, e potresti iscriverti alla facoltà di giurisprudenza prima della scadenza. Rientrerebbe nelle mie regole."

Cinzia sorrise.

"Sembra fantastico. Grazie mille, professore. Significa davvero molto per me."

"Non sto dicendo che lo farò. Sto dicendo che potrei."

"Oh, quindi cosa devo fare?"

"Per prima cosa, dimmi perché vuoi frequentare la facoltà di giurisprudenza. Qual è il tuo obiettivo finale?"

Pensò per un momento a comporre una buona risposta.

"Beh, ho sempre desiderato una carriera in cui potessi essere una grande sostenitrice delle donne. Ho quasi finito la mia specializzazione in Donne e Studi di Genere. Ho pensato di diventare una giornalista, dove potrei riferire su vari argomenti. Ma i miei genitori mi dicevano sempre: "Mi hanno incoraggiato a provare legge. Ci ho pensato tutto il semestre, dato che sono vicino alla laurea. Dopo aver riflettuto a lungo, ho deciso che studiare legge fa per me".

Annuì.

"Ci hai sicuramente pensato molto."

"Sì, signore, l'ho fatto."

"E i tuoi risultati accademici finora? C'è qualcosa che dovrei sapere?"

Pensò di nuovo tra sé.

"Bene, in alcuni dei miei corsi ho scritto diversi saggi incentrati sui diritti delle donne, sulle donne di colore e su varie questioni sociali in questo paese e nel mondo. Ho preso A su tutti."

"Non c'è da stupirsi. Mi sembri una ragazza molto intelligente. Mi piace questo di te."

"Grazie," arrossì.

"Mandami via email tutti quei saggi che hai menzionato. Mi piacerebbe guardarli prima di prendere una decisione."

"Ovviamente."

"Mi piaci davvero, Cynthia," disse. "Penso che tu abbia un talento immenso. Le donne come te sono il futuro di questo Paese. Se riesci a convincermi che hai un reale interesse a cambiare le cose, allora contatterò personalmente i miei amici delle migliori facoltà di giurisprudenza e renderò tutto possibile per farti entrare. Come ti sembra tutto questo?"

"Sembra meraviglioso, professore", disse con un sorriso raggiante. "Sono sicuro che rimarrai colpito da ciò che ho da offrire."

"Non ho dubbi su questo. Ora, se vuoi scusarmi, ho un appuntamento fissato tra circa cinque minuti."

"Oh, certo. Grazie mille."

Cinzia si alzò e strinse dolcemente la mano al professore che rimase seduto dietro la scrivania.

Quando lasciò l'ufficio, fece del suo meglio per contenere la sua eccitazione.

CAPITOLO II

Quando Cynthia ritornò nel suo piccolo appartamento, andò direttamente nella stanza della sua compagna di stanza e vide che la porta era spalancata.

Teresa era sdraiata sul letto e usava il suo portatile per controllare gli ultimi siti di gossip.

"Vediamo se riesci a indovinarlo?" chiese Cynthia retoricamente. "In effetti ti dico subito. Ha accettato di scrivermi una lettera di raccomandazione. Ci credi?"

Cynthia entrò nella stanza e si sedette sul letto della sua coinquilina.

"È fantastico! Com'è stato stare da sola con lui? È stato imbarazzante? Quel ragazzo è un duro da morire."

"È stato decisamente intimidatorio, posso dirtelo."

"E ha accettato di scriverti una lettera?" chiese Teresa. "Ho sentito così tante storie di studenti intelligenti rifiutati da idioti come lui."

"L'ho colto di buon umore, credo," Cynthia alzò le spalle. "Ma sarà un processo difficile. Vuole parlarmi ancora un po' e poi mi scriverà una lettera l'anno prossimo."

"L'anno prossimo? Ho letto che se ti iscrivi presto a giurisprudenza, hai un leggero vantaggio sulle ammissioni."

Cinzia sorrise.

"Lo so. Ma ha contatti con alcune delle migliori scuole di legge. Ha anche detto che sarebbe disposto a contattarlo personalmente per conto mio, se riesco a convincerlo che ne valgo la pena."

"Oh wow! È fantastico."

Teresa si sporse in avanti e abbracciò forte la sua amica.

"Grazie."

"Come lo convincerai esattamente? Quel ragazzo non è facile da accontentare."

Cynthia alzò le spalle.

"Penso che dovrei mostrargli alcuni vecchi saggi che ho scritto. È stato un po' vago su tutta la faccenda. Ma sono abbastanza sicuro di tutto questo. Penso che gli piaccio davvero. Ha detto un sacco di cose carine ."

"Beh, se c'è qualcuno che merita di trarre beneficio dalle sue conoscenze, quello sei tu."

"Grazie. Incrocio le dita. Spero solo che non cambi idea."

"Sarebbe la mossa più grande del mondo se cambiassi idea", ha risposto Teresa. "Non si sa mai, però. Ma non c'è modo che tu possa cambiare idea."

Cinzia sorrise.

"Hai ragione. Ma ho ancora bisogno di impressionarlo. Farò tutto il necessario. Credimi."

"Credo di sì."

CAPITOLO III

Era tarda notte quando Cynthia aveva già finito di esaminare i suoi vecchi file.

Aveva organizzato tutti i saggi più apprezzati che aveva scritto.

Poi li ha allegati a un file.

Diede anche gli ultimi ritocchi al suo elaborato finale per la classe del professore.

Ha letto l'articolo finale più volte per assicurarsi che fosse perfetto.

Questa era la sua occasione per impressionare l'uomo che potenzialmente deteneva le chiavi del suo futuro.

Ha allegato tutto in una email e ha scritto un messaggio al professore:

"Salve professore,

Spero che faccia bene. Grazie mille per avermi incontrato oggi. So che sei una persona estremamente impegnata. Ho allegato tutti i saggi che volevo vedere. Ho preso A su tutti.

Ho anche allegato il mio progetto finale per la sua lezione, che ho completato in anticipo. Spero che tutto sia soddisfacente. Per favore fatemi sapere se avete bisogno di qualcos'altro da me o se desiderate incontrarci di nuovo per discutere di qualsiasi cosa relativa alla lettera di raccomandazione. Apprezzo davvero tutto questo.

Ti auguro il meglio,

"Cinzia"

Ha inviato l'e-mail e lei ha tirato un sospiro di sollievo.

Era rimasta diverse ore davanti al computer, riposandosi pochissimo, per inviare i documenti al professore il più rapidamente possibile.

Con il tempo rimasto prima di cena, Cynthia ha controllato i suoi aggiornamenti su Facebook per vedere cosa c'era di nuovo nella sua cerchia sociale.

È arrivata un'e-mail in arrivo.

La risposta dell'insegnante è stata:

"Ci vediamo nel mio ufficio. Lunedì alle nove del mattino."

Cynthia era un po' perplessa dalla criptica e breve email di risposta del professore.

Si chiese se si fosse preso la briga di guardare qualcuno dei documenti allegati, vista la rapidità con cui aveva risposto, e se avesse passato le ultime ore lavorando così duramente per niente.

In questo momento, ha ricevuto un'altra email.

Fu un'altra risposta dell'insegnante:

"Discuteremo i termini della lettera di raccomandazione."

Questo era il messaggio che voleva.

Sorrise tra sé sapendo che i collegamenti del professore con le migliori scuole di giurisprudenza erano a portata di mano.

Anni di duro lavoro stavano finalmente dando i loro frutti.

Tutto quello che doveva fare era fare quello che voleva l'insegnante.

SECONDA PARTE
DECISO DELLO STUDENTE

CAPITOLO I

Lunedi.

Di mattina presto.

Cynthia stava aspettando fuori dall'ufficio del professore in un abito semi-formale.

Voleva apparire sofisticata agli occhi dell'insegnante.

Voleva dimostrare che ne valeva la pena.

Arrivò esattamente alle nove del mattino.

Aveva in mano un piccolo e semplice sacchetto di carta e guardò appena Cynthia quando lei si alzò per salutarlo.

Si strinsero la mano, poi lui aprì la porta dell'ufficio e la fece entrare.

Poi chiuse la porta.

La situazione era alquanto imbarazzante poiché il professore preparava la scrivania e accendeva il computer, ignorando apparentemente lo studente universitario in piedi di fronte a lui nella stanza.

"Spero che tu abbia passato un buon fine settimana", disse, allentando la tensione.

Il professore si sedette dietro la sua scrivania e Cynthia si sedette di fronte a lui.

"Ho trascorso un fine settimana fantastico", ha risposto. "Ho passato la maggior parte del tempo a sistemare le carte. Ma ho avuto tempo anche per altre attività. E tu?"

"Principalmente lavoro scolastico. Ho studiato molto per gli esami e ho scritto tesine per le altre classi."

Annuì.

"Come dovrebbe essere."

"A proposito, hai letto i documenti che ti ho mandato?"

"No, non l'ho fatto", rispose senza mezzi termini.

"Oh, pensavo di averne bisogno..."

"Non li guarderò, Cynthia. Non mi interessa leggere i tuoi temi per le altre lezioni. Non ho tempo per quello."

"Vuol dire che mi darai la raccomandazione senza doverli leggere?" chiese con cautela.

"Non rispose. "Devi ancora guadagnartelo."

"Che devo fare allora?"

La guardò con uno sguardo tagliente.

"Sei una persona discreta, Cinzia?"

"Cosa significa?"

"Sei capace di mantenere un segreto?"

"Sono sempre stata una persona affidabile. Perché?"

"Sono molto interessato a te," disse. "Sono incuriosito da te. Ma dovrai promettermi che tutto ciò di cui discuteremo rimarrà confidenziale. Puoi farlo? Se tutto funziona, lo prometto, farò del mio meglio per farti frequentare qualunque scuola vuoi. E mantengo sempre le mie promesse."

Cynthia fece un respiro profondo e cercò di mantenere la compostezza.

Non era sicura di dove stesse andando a parare la conversazione, ma il risultato le piacque.

Voleva il suo aiuto.

"Lo prometto. Tutto ciò di cui discuteremo sarà un segreto."

Annuì lentamente.

"Sono felice di sapere che."

"Posso chiederti di cosa si tratta? Ancora non ho capito cosa vuoi da me."

"Hai seguito tre dei miei corsi, giusto?"

"Ecco com'è."

"Mi hai sempre incuriosito", ha detto. "Dal giorno in cui ci siamo incontrati, ho scoperto che sei una persona interessante. E mi è sempre piaciuto leggere i tuoi saggi. In effetti, a essere sincero, a volte leggo ancora i tuoi saggi. I tuoi pensieri sui diritti delle donne e sulle libertà sessuali delle donne sono piuttosto profondo."

"Grazie, mio Signore".

"Ho un compito per te", disse. "È completamente fuori dall'agenda. Nessuno lo saprà mai. Ovviamente è facoltativo. Ma se lo fai, ti darò automaticamente una A nella mia classe e ti aiuterò a entrare in una scuola di diritto di alto livello."

Cynthia annuì esitante.

"BENE."

"È un compito di lettura. Voglio che tu legga il materiale che ti assegno. E domani voglio che tu sia di nuovo qui alle nove del mattino pronto a discuterne."

Il professore prese il sacchetto di carta marrone e lo posò sulla scrivania davanti a Cynthia.

"Di cosa tratta il compito di lettura?" chiese, perplessa.

"Tutto in questa borsa è per te. Consideralo un regalo. Non aprirla fino a tarda notte. E voglio che tu legga la storia segnata prima di andare a dormire. Voglio la tua intuizione per via della tua interessante prospettiva sull'argomento." problemi delle donne. Puoi fare questo per me?"

"Potere."

"Bene," annuì. "Ora, se vuoi scusarmi, ho una giornata impegnativa. Sono sicuro che anche tu sei occupato oggi ."

"Grazie Professore."

Cynthia si alzò e strinse la mano al professore.

Poi prese la borsa marrone e lasciò l'ufficio.

Non si prese la briga di guardare dentro la borsa.

Avevo troppa paura per guardare.

CAPITOLO II

Quella notte Cynthia rimase a letto con le luci ancora accese.

Aveva appena terminato la sua rigorosa routine di studio serale.

Gli fanno male gli occhi.

Ed era mentalmente esausta.

Guardò il tavolo accanto al letto e vide la borsa marrone.

Lo aveva quasi dimenticato.

Quindi la notte non era ancora finita.

Si sedette sul letto e prese la borsa.

Quando Cynthia aprì la borsa, rimase scioccata da ciò che vide.

C'era un dildo rosa di dimensioni moderate, che aveva la forma del pene di un uomo.

Lo prese e lo guardò, chiedendosi se fosse un errore.

Forse l'insegnante mi ha dato la borsa sbagliata?

Perché ha questo?

Ma ha concluso che non c'era alcun errore.

Il professore era troppo preciso e intelligente per commettere questo tipo di errori, pensò.

Posò il vibratore sul letto e frugò nel fondo della borsa.

L'unica cosa che c'era era anche un libro molto grande.

Era vecchio e logoro.

Guardò la copertina.

Era un libro di raccolta di diverse storie BDSM.

Diede un'occhiata all'indice per vedere che tutte le storie riguardavano il sesso.

E non un sesso qualsiasi, ma storie di dominio e sottomissione.

"Questa è molestia sessuale!" Pensiero.

Cynthia chiuse il libro e lo posò sul tavolo vicino.

Ero arrabbiato, scioccato e triste.

Non sapeva come sentirsi.

Poi si ricordò del commento dell'insegnante, secondo cui la lettura era facoltativa.

Pensava di dover fare qualunque cosa le avesse chiesto.

Ma poi non otterrebbe niente neanche lei.

Dopo aver riflettuto qualche istante, si rese conto che non c'erano danni.

Era solo un libro.

Tutto quello che doveva fare era leggere quello che avrebbe ottenuto e discuterne con l'insegnante.

Allora avrebbe ottenuto l'aiuto dell'insegnante.

Il vibratore sarebbe finito nella spazzatura più tardi, al suo posto.

Dopo un respiro profondo, prese il libro e si appoggiò al cuscino per mettersi comoda. C'era un segnalibro al centro del libro. Lo aprì e trovò la storia che gli aveva assegnato l'insegnante.

Ha iniziato a leggere.

~~~

Riepilogo della storia:

Erika era una donna indipendente, artista e attivista femminista per i diritti delle donne.

Gestiva una galleria d'arte di successo nel centro della città.

Viene avvicinato da un uomo di nome Robert, che si offre di vendergli alcuni dei suoi lavori.

Lui mostra le sue foto e lei rimane molto colpita dai dipinti che appaiono nelle sue foto.

Ma quando visita il suo piccolo studio scopre che la maggior parte del suo lavoro è legato al BDSM e questo non appare nelle sue foto.

Sul muro c'erano foto di donne legate e soddisfatte.

Erika dice educatamente a Robert che non è d'accordo con il contenuto dei suoi dipinti, e poi rifiuta la sua offerta di acquistare un'opera d'arte.

Giorni dopo, Robert continua a richiedere un rapporto d'affari con lei.

Le invia via email altre sue foto, che questa volta mostrano le donne legate e imbavagliate.

Poi c'erano foto di donne in vari stati di intenso orgasmo.

Erika si sentiva in conflitto con le immagini.

Pensava che fossero osceni, ma di buon gusto.

Sicuramente per lei erano stimolanti in qualche modo.

Era incuriosita.

Ha accettato di incontrarlo di nuovo per discutere un possibile accordo.

Nel suo piccolo studio, Robert la convinse che il BDSM non era poi così male.

La convinse che era qualcosa di bello e che le donne ricevevano molto piacere.

Erika era scettica, ma accettò di sperimentare un leggero bondage su richiesta di Robert.

Ciò gli ha aperto la porta per avere Erika come suo nuovo feticcio BDSM.

~~~

Dopo aver letto la storia, Cynthia si trovò leggermente emozionata.

Con lo stress degli imminenti esami finali, il sesso era l'ultima cosa che avevo in mente, ma la storia ha cambiato le cose.

Era bagnata tra le gambe.

Sono rimasto affascinato dai personaggi.

È rimasta affascinata dall'idea che il personaggio femminile della storia fosse legato e usato sessualmente.

All'improvviso il dildo marrone della borsa non sembrava più una cattiva idea...

CAPITOLO III

Il giorno successivo.

Cinzia era seduta davanti alla cattedra.

La guardò semplicemente senza dire una parola.

Bevve un altro sorso di caffè.

Più andava avanti il silenzio, più il suo ricongiungimento diventava scomodo.

"Voglio sapere come ti ha fatto sentire," disse, rompendo il silenzio. "Voglio sapere come funzionava la tua mente in ogni dettaglio. Ti va bene?"

"Sono."

"Hai letto la storia che ti ho assegnato?"

"L'ho fatto. Pensavo che fosse ben scritto."

"Cos'altro ne hai pensato?" chiesto. "Cosa ne pensi dell'evoluzione del personaggio principale?"

Cinzia si fermò un attimo.

"Penso che l'evoluzione del personaggio principale sia comune per molte persone. Ho fatto molte ricerche sulla sessualità nel corso degli anni. Le persone scoprono costantemente i loro feticci nel corso della loro vita. Non c'è assolutamente niente di sbagliato nell'esplorazione sessuale "Fa parte di essere umano."

"Pensi che quella storia fosse realistica? Pensi che una cosa del genere possa accadere a una femminista devota?"

"Perché no?" Lei rispose . "Il personaggio di quella storia è umano come tutti gli altri. Il fatto che sia femminista probabilmente ha alimentato il tabù di essere sottomesso a un uomo dominante. Solo perché qualcuno è femminista non significa che non possa godere di una vita sessuale appagante. . ".

Lui sorrise.

"Sei una ragazza molto intelligente. Mi piace ascoltare la tua intuizione."

"Questo significa che mi sono guadagnato la tua raccomandazione?"

"Non ancora. Voglio sapere se hai usato il giocattolo che ti ho regalato. Lo hai usato su te stesso mentre leggevi la storia? O lo hai usato dopo?"

Sul suo volto apparve un'espressione stupita.

"Cosa significa?"

"Hai usato il dildo su te stesso?"

"Io... non vedo come siano affari tuoi."

"Quello che dirai resterà confidenziale. Andrò in pensione alla fine dell'anno, ricordi? Tra qualche settimana non mi vedrai più."

Pensò per un momento.

"Ho usato il dildo su me stesso dopo aver letto la storia."

"Cosa stavi pensando?"

"Sul personaggio principale alla fine della storia. Sai, essere legato."

"Hai sempre avuto un feticismo del bondage?" chiese .

"Non penso che sia appropriato. Ho già fatto tutto quello che mi hai chiesto."

"Abbiamo ancora molto tempo", rispose. "Sei una ragazza molto speciale. Lavori duro e sei molto determinata. Apprezzo queste qualità e voglio che tu provi le gioie della vita. Non sto cercando di ingannarti. Dovresti fidarti di me su questo."

"Cosa vuole da me?"

"In questo momento ti sto dando un altro compito."

"Sarà l'ultimo?"

"Forse", rispose. "In questo momento, hai una A nel mio corso. Questo è tutto. Se mi ascolti, userò le mie conoscenze per tuo conto."

"Bene," annuì.

"Leggi la settima storia di quel libro. Poi voglio che ti masturbi con il vibratore. Domani ci incontreremo di nuovo. Parleremo della storia. E voglio che tu mi racconti tutto del tuo orgasmo. Puoi farlo? "

"Sì."

"Bene. E non ci incontreremo nel mio ufficio. Domani mattina ti manderò il luogo dell'incontro. Capito?"

"Prometti di usare le tue conoscenze per me?"

"Prometto."

"Allora è un accordo."

TERZA PARTE
PARTE INFERIORE ARROSSATA

CAPITOLO I

Più tardi quella stessa notte.

Cinzia e Teresa lavavano insieme i piatti dopo cena.

Avevano anche cucinato insieme.

Dopo aver asciugato e sistemato i piatti sulla griglia, Teresa posò l'asciugamano e si appoggiò al bancone.

"Questa è l'ultima settimana peggiore della mia vita," gemette Teresa. "Perché ho dovuto specializzarmi in biologia?"

"Perché vuoi fare cose buone nella tua vita. Ne varrà la pena."

"Quindi pensi?"

"Lo spero," Cynthia alzò le spalle.

"Beh, questo è rassicurante."

Anche Cynthia si appoggiò al bancone della cucina e guardò la sua migliore amica.

"Non posso credere fino a che punto siamo arrivati", ha detto. "Quando eravamo giovani parlavamo di diventare adulti. Ora guardaci. Stiamo per avere una grande carriera."

Teresa sorrise.

"Ancora un semestre e poi non saremo più compagni di stanza. Mi viene da piangere a pensarci."

"Staremo bene. È meglio così."

Teresa annuì.

"Hai ragione. Per come stanno andando le cose, sei diretto alla migliore scuola di legge del paese."

"L'accordo non è stato ancora concluso."

"Cosa gli sta succedendo, comunque? Perché non scrive quella dannata cosa e la fa finita come un normale professore?"

"Vuole solo essere accurato, tutto qui," rispose Cynthia. "Penso che concluderemo dopo un altro giro di domande sulla mia storia accademica e sui miei obiettivi futuri. E quel genere di cose."

"Se non lo sapessi, direi che quel ragazzo è interessato a fare qualcosa con te," ha risposto Teresa con un brutto gioco di parole.

"Cosa te lo fa dire?"

"Il modo in cui ti chiama in classe. Il modo in cui ti guarda. È abbastanza ovvio, beh, per me comunque."

"Tratta tutti allo stesso modo in classe. Inoltre è sposato."

"È strano che ultimamente ho passato così tanto tempo con te," notò Teresa. "Sei innamorata di lui per caso?"

"NO!" Cynthia rispose con divertimento e orrore. "Come puoi dire una cosa del genere?"

Teresa fece una faccia buffa.

"Dio. Mi stavo proprio chiedendo. Gesù. Non essere così sulla difensiva."

"Comunque ci sarà tutto il tempo per scherzare su tutto questo più tardi. Adesso ho bisogno di studiare. Non sei l'unica persona con esami brutali."

"Allora è meglio che passiamo ai libri."

"Ecco com'è."

CAPITOLO II

Dopo aver chiuso la porta, Cinzia si sdraiò comodamente sul letto, appoggiandosi al cuscino.

Era la sua posizione preferita per studiare.

Esaminò rapidamente i libri e gli appunti delle sue lezioni.

Era già preparata e tutto era in anticipo rispetto al previsto.

Chiuse il materiale e riposò brevemente gli occhi.

I compiti dell'insegnante erano ancora in sospeso.

Si chiese brevemente se Teresa avesse ragione nel dire che stava sviluppando una piccola cotta per lui.

Il potere che aveva su di lei era un grande tabù.

Cynthia mise da parte le sue cose scolastiche e prese il grande libro BDSM. Tornò alla sua comoda posizione sul letto e aprì il libro della settima storia.

Ha iniziato a leggere.

~~~

Riepilogo della storia:

Samantha era una donna d'affari di successo.

Aveva un grande ufficio in un ufficio aziendale.

Si era abituato a dare ordini a uomini forti.

L'azienda per cui lavorava era stata acquisita da un'altra società.

All'improvviso, aveva un nuovo capo maschio.

Il nuovo capo di Samantha era molto diverso da chiunque avesse lavorato in passato.

Il nuovo capo non si lasciava intimidire dalla sua bellezza.

Trasudava sicurezza e il sex appeal di Samantha non funzionava su di lui.

Si è subito affermato come responsabile.

Si affermò come loro superiore.

Alla fine della storia, riceveva visite settimanali da lui nel suo ufficio privato per fargli sapere che era sottomessa.

Samantha si ritrovò legata e frustata sulla sua stessa scrivania.

Ha usato il buco che gli si addiceva meglio.

A volte le scopava la bocca, altre volte la scopava nel culo.

Questo era il suo nuovo ruolo in azienda.

~~~

Cynthia chiuse il libro e allargò le braccia e le gambe sul letto.

C'era una sensazione di formicolio tra le sue cosce.

Nel profondo, la faceva sentire in colpa essere eccitata da una storia in cui un uomo degradava sessualmente una donna forte.

Ma era comunque emozionata.

Il compito dell'insegnante era chiaro: voleva che lei usasse il vibratore.

Ha frugato nel cassetto per prendere il sex toy.

Poi si tolse completamente i vestiti inferiori.

Si sdraiò sul letto con le gambe aperte e cominciò ad accarezzarsi la figa con le dita.

Quando fu sufficientemente eccitata e bagnata, vi inserì il sex toy.

Il giocattolo entrava e usciva dalla sua figa.

Teneva gli occhi chiusi.

Immaginava pensieri osceni del personaggio femminile del libro che veniva scopato oralmente mentre era legato alla sua scrivania.

Ha cercato di mantenere la sua masturbazione silenziosa in modo che Teresa non la sentisse.

La sua mente era occupata, così come le sue dita che guidavano il sex toy.

In poco tempo, le sue dita dei piedi si arricciarono e la sua schiena si inarcò leggermente.

Chiuse la bocca per non emettere forti lamenti.

Lei arrivò.

Poi il suo corpo si rilassò e si sdraiò sul letto con una sensazione di felicità.

Era stata una fantasia molto sporca.

Se solo l'avessi scoperto prima...

CAPITOLO III

Il giorno successivo.

Erano le otto del mattino.

Cinzia aveva seguito le istruzioni che il professore le aveva inviato via email.

Indossava un bel top abbottonato con una gonna a tubino tipo ufficio.

Invece di incontrarsi nel suo ufficio, si incontrarono fuori da un'aula vuota, che lui aprì con la sua chiave.

Portava un sacchetto di carta.

Dopo essere entrati in classe, chiuse a chiave la porta.

"Siediti", disse, accendendo le luci.

"Sono un po' nervosa oggi," disse Cynthia quasi scherzosamente mentre attraversava la stanza vuota.

"Perché?"

"Tutto quello che abbiamo fatto. Questa classe."

"Non essere nervoso", rispose. "Non è necessario che lo sia."

"Spero di no."

Cynthia sedeva in prima fila nella grande aula.

"Buona scelta," sorrise. "Le brave ragazze siedono sempre in prima fila. Mi piacciono le brave ragazze."

"L'hai già fatto prima?"

"Fatto cosa?"

"Questo", rispose. "Hai costretto altri studenti a fare atti sessuali per te in cambio della tua lettera di raccomandazione o di un buon voto?"

"Ho una carriera accademica prestigiosa, Cynthia. Non rischierei la mia reputazione chiedendo favori a studenti a caso."

"Allora perché farmi questo?"

"Perché sei speciale," disse senza mezzi termini. "Mi hai incuriosito fin dalla prima volta che ti ho visto. Mi hai incuriosito ogni volta che parli in classe e ogni volta che leggo i tuoi lavori. Sei una persona speciale. E sei lo studente più bello che abbia mai avuto."

"Parole lusinghiere, ma come fai a sapere che non sporgerò denuncia contro di te per molestie sessuali? L'ho già fatto con altri uomini."

"Non lo farai. Sei troppo determinato a porre fine a questa cosa adesso. Ho qualcosa che desideri disperatamente. Quindi, dovremmo iniziare adesso? Prima iniziamo, prima finiremo."

Lei annuì lentamente.

"Inoltrare."

"Hai letto la storia ieri sera?"

"L'ho fatto."

"Cosa ne pensi?"

Pensò per un momento.

"Ho pensato che fosse emozionante. Non avevo mai letto quel genere di cose prima. Ho sempre pensato che il sesso dovrebbe essere uguale tra uomini e donne. Tutto dovrebbe essere uguale. E ovviamente le mie inclinazioni politiche sono sul lato femminista. Ma è stato molto emozionante leggerlo. L'ho adorato."

"Presumo che tu ti sia masturbato di nuovo con il dildo."

"L'ho fatto."

"A cosa hai pensato nello specifico mentre lo facevi?" chiesto.

"Il personaggio femminile è legato alla sua scrivania. Viene usata. Questo genere di cose. Quella è stata la parte più erotica della storia."

Il professore indicò la sua borsa marrone.

"Pensavo che quella scena ti sarebbe piaciuta. Per fortuna sono arrivato preparato. E per fortuna siamo in un'aula vuota con un grande banco. Ti piacerebbe sperimentare qualcosa di nuovo?"

"Non lo penso ..."

"La porta è chiusa, Cinzia. Nessuno lo saprà mai. E non lo dirò mai. Ho troppo da perdere. Andrò in pensione alla fine dell'anno e non dovrai più vedermi. Posso anche aiutarti con borse di studio e altri modi per rendere la tua istruzione più conveniente. Possiamo aiutarci a vicenda."

Lottò emotivamente per un momento.

"Non lo so. Non sono quel tipo di persona."

"Farò tutto il lavoro. Tu non devi fare nulla. Non ti penetrerò per via orale o vaginale. Voglio solo esplorare."

"E se volessi fermarmi?" lei chiese.

"Allora ci fermeremo."

"VA BENE."

"Vieni davanti alla classe. Sdraiati con la pancia sul tavolo degli insegnanti."

Cynthia si alzò e si avvicinò al tavolo principale.

Ha fatto del suo meglio per assumere una faccia coraggiosa.

Era un confine che non avrebbe mai pensato di oltrepassare con un uomo, ma lo era.

Era disposta a lasciare che il suo corpo fosse usato da un insegnante molto più anziano, tutto per il bene di promuovere la sua istruzione.

Giurò a se stessa che nessuno lo avrebbe mai saputo.

Appoggiò lo stomaco e il petto sul tavolo, di fronte all'aula vuota.

Chiuse gli occhi, quasi in uno stato di vergogna.

Sentì il professore camminare dietro di lei.

Poi sentì le sue mani scivolare dolcemente lungo la gonna a tubino dell'ufficio, sollevandola.

"Rilassati", ha detto. "Sarò gentile con te. Sei al sicuro con me."

L'insegnante le abbassò delicatamente le mutandine e lei sollevò ciascun piede in modo che lui potesse toglierli.

Si sentiva vulnerabile ed esposta con il vestito tirato su e senza mutandine.

Sentì il sacchetto di carta aprirsi cigolando.

Continuò a chiudere gli occhi.

Avevo troppa paura per guardare.

Poi sentì che le sue caviglie venivano legate con una corda morbida.

Lei non ha opposto resistenza e non si è opposta.

È successo molto rapidamente.

Prima che ci pensasse due volte, le sue caviglie furono legate all'estremità delle gambe del tavolo.

Il professore fece il giro del tavolo e ripeté l'operazione con i polsi.

Con un processo altrettanto rapido, i polsi di Cynthia furono legati all'estremità del tavolo.

Era completamente trattenuta e legata.

"Per favore rilassati," disse. "Le cose saranno più facili così."

L'insegnante schiaffeggiò dolcemente il sedere nudo di Cynthia.

Per lei è stato uno shock e una sorpresa.

Gli fece spalancare gli occhi.

Anche da piccola non era mai stata sculacciata.

Era una sensazione nuova.

Prima che potesse elaborare emotivamente la situazione, arrivò un'altra sculacciata.

Poi un altro.

Le delicate sculacciate diventavano sempre più dure.

Le sculacciate cominciarono a echeggiare nella grande aula universitaria.

"Come ti senti?" gli chiese in modo paterno. "Sei in grado di gestire questa cosa?"

"Pizzica un po'."

"Finirà presto. Prima vieni, prima avremo finito."

I suoi occhi rimasero spalancati.

Quanto tempo prima di venire?

Voleva farla raggiungere l'orgasmo e lei non resistette.

Lei non ha reagito.

Non gli ha detto di andare a fanculo.

I suoi valori femministi si stavano erodendo e, nel profondo, le piaceva.

Sentì il rumore del professore che frugava di nuovo nella sua borsa marrone.

Ero nervoso e non sapevo cosa aspettarmi.

Quando lasciò cadere la borsa, lei scoprì quello che stava cercando.

Ci fu un altro schiaffo sul suo sedere scoperto.

Non era con la mano.

Ora avevo una piccola pala di gomma.

La pala faceva più male della mano nuda.

Ho avuto una sensazione di bruciore.

Continuò a martellarle il sedere nudo.

Ha iniziato a fare più male.

Il suo sedere divenne di una brillante tonalità di rosso.

Si morse il labbro inferiore e cercò di non piangere come una ragazzina sciocca.

Non voleva apparire debole di fronte al suo insegnante forte e prepotente.

Il dolore cresceva.

L'insegnante continuò a colpire più forte e più velocemente.

Voleva piangere.

All'improvviso si fermò.

Lo ascoltò posare la pagaia sul tavolo, poi si inginocchiò per accarezzarle dolcemente il sedere in fiamme.

Lo strofinò con delicatezza.

Le diede baci teneri.

Poi si abbassò e giocò con il suo clitoride gonfio.

"Oh..." gemette.

Riusciva ad evitare di fare rumore durante la sculacciata, ma non grazie alla stimolazione diretta del suo clitoride gonfio.

Il professore le strofinò il clitoride con un rapido movimento circolare con due dita.

Con l'altra mano continuò ad accarezzarle il sedere dolorante.

Continuò a baciarle dolcemente il culo come se lo stesse adorando.

Gli ha anche dato qualche leccata.

"Penso che sto per venire," ammise in modo imbarazzante.

"Vieni per me, tesoro. Sii il mio piccolo gattino sessuale e goditi un orgasmo meraviglioso."

Premette il viso contro il suo sedere dolorante e continuò a strofinarle furiosamente il clitoride.

Gli occhi di Cynthia rotearono all'indietro.

La sua bocca era spalancata.

Il suo corpo si tese.

I muscoli della schiena e delle gambe si contraevano, ma non poteva muoversi poiché i suoi arti erano legati alla scrivania.

Piccoli gemiti gli sfuggirono dalla bocca.

Ben presto, un piccolo fiume di fluidi limpidi sgorgò dalla sua figa calda.

Il professore non fermò i suoi movimenti con le dita finché non ebbe finito tutto.

Poi le diede un altro bacio sul culo.

Il professore si alzò e baciò Cynthia su un lato del viso.

Anche lui le baciò i capelli un paio di volte.

Quando il professore slegò Cynthia, lei si sedette sul pavimento in posizione fetale.

Il suo corpo sembrava gelatina.

La sua forza era scomparsa.

Il professore si sedette sul pavimento accanto a lei.

"Sei meraviglioso", ha detto. "Davvero meraviglioso."

"È questo che volevi?" rispose con un respiro profondo.

"Era più di quanto volessi. Sei davvero fantastico."

"Questo significa che abbiamo finito?" Gli chiese, incerta se lui volesse che finisse o no.

"No. Non siamo nemmeno vicini alla fine. Per ora, hai preso A+ nel mio corso. Ma non ti sei ancora guadagnato i miei contatti. Se continui, farò del mio meglio per farti conoscere." nella facoltà di giurisprudenza che preferisci. E ti aiuterò a ottenere borse di studio per pagare tutto."

"Che devo fare?"

"Ora voglio che tu continui a studiare per gli altri esami. Sei uno studente di tipo A. Dovresti comportarti di conseguenza."

"Poi?" lei chiese. "Cosa succederà dopo gli esami?"

"Hai intenzione di andare da qualche parte? Vivi vicino alla casa della tua famiglia? O stai in un dormitorio comune?"

"Condivido un appartamento con il mio coinquilino. Ritorneremo entrambi a casa dopo la settimana degli esami. Abbiamo un volo in programma. Perché?"

Il professore si passò una mano tra i capelli.

"Annulla il tuo volo. Riprogrammalo per qualche giorno dopo."

"Ma la mia famiglia? Mi aspettano presto a casa."

"Mi serviranno solo pochi giorni. Di' loro che stai finendo un progetto importante per la scuola. Capiranno."

"Cosa faremo?" lei chiese.

"Quando il tuo coinquilino se ne va, voglio visitare il tuo appartamento. Voglio vedere come vivi. Voglio passare del tempo con te. Voglio che stiamo insieme da soli. Sono curioso di te a livello personale. Come Te l'ho già detto, sei molto interessato a te." . Mi affascini".

"E riguardo... al sesso... Che progetti hai per me?"

Lui sorrise.

"Lo scopriremo."

"Non mi prenderai per il culo. Ho un ragazzo ed è lì che traccio il limite."

"Cosa puoi fare per me allora?"

Pensò per un momento.

"Puoi sculacciarmi ancora."

"Mi succhierai il cazzo?"

Lei annuì esitante.

"Va bene. Ma sarebbe così."

"Sarà meglio andare. Non dimenticare le mutandine. Sono sul tavolo. E non dimenticare i nostri piani. Ti prometto che ne varrà la pena."

Detto questo, il professore si alzò e rimise le corde e la pagaia nella borsa marrone.

Poi se ne andò, lasciandola sola in soggiorno.

Cynthia continuò a sedersi in posizione fetale mentre raccoglieva i suoi pensieri.

La sensazione orgasmica scorreva ancora attraverso il suo corpo.

Non riusciva ancora a capire se amava l'esperienza della schiavitù o se la odiava.

Ma la piccola pozza di liquidi che lasciò dietro di sé gli diede la risposta.

QUARTA PARTE
OLTRE QUANTO CONCORDATO

Una settimana dopo.

Cynthia guardò fuori dalla finestra del suo appartamento per ammirare il panorama che si apriva fuori casa sua.

Ero solo.

Teresa era già andata via dopo aver finito tutti gli esami finali.

Anche Cynthia avrebbe dovuto andarsene.

A quest'ora avrebbe dovuto essere a casa con la sua famiglia.

Invece aspettava il professore.

Gli avevo già dato l'indirizzo.

Aspettò in uno stato meditativo che arrivasse.

Indossava un bel vestito blu.

Era elegante e casual.

Era scalza e non indossava nulla sotto il vestito.

Tutto ciò che aveva fatto con il professore era contro la sua natura.

Era contrario ai valori forti con cui era cresciuto.

Ed era contro i valori che volevo difendere come futuro avvocato.

Ma l'insegnante le aveva regalato il miglior orgasmo della sua vita.

Pensavo a quell'orgasmo ogni giorno.

Si masturbava pensando alla maestra ogni notte.

Si chiese cosa avesse pianificato.

Suonò il campanello del portone e lei fece entrare il professore nell'edificio.

Aprì la porta dell'appartamento e lo aspettò.

Mentre usciva dall'ascensore sul pavimento del suo appartamento, lei gli sorrise.

Indossava un abito semi-casual e portava un sacchetto di carta marrone.

Si salutarono e lui entrò con sicurezza nel suo appartamento, come se vivesse lì.

Cynthia chiuse la porta e lui si guardò intorno dopo essersi tolto le scarpe.

"Bel posto", disse, mentre continuava a osservare la stanza.

"Grazie. Vivo qui da quasi quattro anni con la mia coinquilina. Abbiamo fatto il meglio che potevamo."

"Ne hai parlato al tuo coinquilino?"

"No. Per l'amor di Dio, no. Non l'ho detto a nessuno. E non lo farò mai."

"Dovrei continuare così," annuì. "Sei bellissima con quel vestito. Sei come un regalo in attesa di essere aperto."

"Grazie", rispose nervosamente. "Posso darti qualcosa da bere?"

"Sto bene. Ti dispiace se ci sediamo e parliamo?"

"Ovviamente."

Entrambi si sedettero sul divano del soggiorno.

"Ho un regalo per te", disse.

Infilò la mano nella borsa marrone e porse a Cynthia una busta.

Lo aprì e vide una lettera dattiloscritta su un pezzo di carta che riportava i marchi e i titoli ufficiali dell'università.

Sfogliò rapidamente la pagina.

Era una brillante lettera di raccomandazione da parte del professore, che diceva che Cynthia era senza dubbio la studentessa più intelligente che avesse mai incontrato.

Ha anche elogiato brillantemente il suo carattere morale e la sua etica del lavoro.

C'era anche una lunga dichiarazione sulla passione di Cynthia per i diritti delle donne.

"Io... sono senza parole," riuscì a dire. "È meraviglioso. È meglio di qualsiasi cosa avrebbe potuto essere scritta per me."

"Probabilmente non avrai bisogno di quella lettera. Ho già parlato con un vecchio amico che lavora in una scuola di legge di alto livello. La tua domanda riceverà una valutazione speciale."

"Quale scuola?"

"Un livello più alto. Lì sarai molto felice. Ho parlato con delle persone anche per possibili borse di studio. Si sistemerà tutto in questi giorni."

Gli mise le mani sul petto.

"Non hai idea di quanto questo mi renda felice. Voglio dire, WOW. Questo è più di quanto avrei mai potuto sperare. Questo cambierà davvero la mia vita."

"Non ho mai fatto così tanto per uno studente. Lo sto facendo solo per te."

"Non so cosa dire".

"Non devi dire niente," disse severamente. "Se vuoi esprimere la tua gratitudine, togliti il vestito."

È stato un momento che fa riflettere.

Il suo spensierato momento di eccitazione è stato accolto dalla realtà che c'erano delle condizioni da soddisfare.

Fece un respiro profondo e si alzò.

I loro occhi erano concentrati l'uno sull'altro.

Le sue dita pizzicarono il fondo del suo vestito blu.

Poi ha sollevato il vestito sopra la testa per rivelare le sue gambe snelle, la figa rasata e i piccoli seni vivace con capezzoli rosa.

Rimase nuda davanti a lui, facendo del suo meglio per mantenere un'espressione coraggiosa.

Cercò di non mostrare alcun segno di nervosismo o eccitazione.

Ma le sue dita leggermente tremanti tradivano il suo nervosismo.

E i suoi capezzoli rosa induriti divennero completamente rigidi, mostrando la sua eccitazione.

"Perfetto," disse, i suoi occhi vagavano sulla sua nudità dalla testa ai piedi. "Sei una visione di perfezione."

"Grazie."

"Sono sicuro che ti starai chiedendo cosa c'è nella borsa. Sembri nervoso. Non preoccuparti, non sono un sadico. Sono solo un uomo normale con una fantasia molto comune."

I suoi occhi continuavano a vagare su ogni centimetro del suo corpo, ammirando la sua bellezza.

"Che fantasia è questa?" chiese con genuina curiosità.

Si alzò e frugò nella borsa.

Pensò per un attimo se dare una risposta definitiva alla domanda di Cynthia.

"Amo le donne intelligenti e indipendenti. Qualcuno come te. Anni fa mi sono imbattuto in letteratura sulla schiavitù sessuale e mi sono sentito stranamente attratto da esso. Mi sono sentito molto in colpa per questo, perché sono sempre stato un grande sostenitore dei diritti delle donne." come te. Ma è solo una fantasia sessuale, vero? Nessuno si fa male. E a tutti piace. Non sei d'accordo?"

" Sì ".

"È una fantasia molto comune. Non c'è vergogna nel godersela. Non dovrebbe esserci."

Il professore tirò fuori dalla borsa una collana nera.

Sembrava erotico, ma intimidatorio.

È stato realizzato appositamente per scopi sessuali.

"Che cos'è?" lei chiese.

"È una collana per il tuo collo. Penso che ti starà bene. C'è scritto 'troia' sopra. È un nome divertente per il nostro tempo insieme."

"Hai fatto questo con altre donne?"

"No. Non ho mai avuto il coraggio. Non sono mai stato molto coraggioso."

"Adesso hai il mio."

Lui sorrise.

"Hai ragione. Ti ho preso. Ora rilassati mentre ti metto il collare."

L'insegnante posò la borsa sul divano e spazzolò i capelli di Cynthia.

Si avvolse la collana attorno al collo e cominciò a stringerla.

Stava attento a non lasciarlo troppo stretto.

Non volevo che fosse sopraffatto o soffocato.

Voleva solo farla sentire un po' a disagio, e lo fece.

Quando fece un passo indietro, Cynthia era nuda, fatta eccezione per la collana con la parola PUTTANA posta sulla parte anteriore della sua gola.

"Guardati allo specchio", ha detto.

Cynthia si avvicinò allo specchio del soggiorno, che era proprio accanto alla porta d'ingresso.

Guardò il suo corpo nudo.

Guardò il collare attorno al collo che la etichettava come una puttana.

Era contro tutti i principi che aveva difeso.

Si vergognava di se stessa.

Ma allo stesso tempo si sentiva molto emozionata.

Nessuno può sapere nulla di questo.

Mai.

"Cosa ne pensi?" Chiese, stando dietro di lei con una corda tra le mani.

"È uno spettacolo provocatorio."

"Lo è. Ora unisci le mani. Ti lego."

Cynthia unì le mani e il professore le legò i polsi con una morbida corda nera mentre era ancora in piedi dietro di lei.

Non ci è voluto molto.

In pochi istanti, le loro mani si unirono.

"E adesso?" Glielo chiese.

Tornò indietro con nonchalance mentre la guardava.

Si fermò al centro della stanza e la guardò direttamente negli occhi.

"Ora voglio che tu mi succhi il cazzo. Sono sicuro che sei molto bravo. Voglio che tu sia un gattino sessuale obbediente e mi mostri quanto sai succhiare bene."

Cynthia si avvicinò a lui con le mani legate.

Era molto più alto di lei.

Dopo un breve contatto visivo, si inginocchiò e iniziò a sbottonargli i pantaloni con le mani legate.

Gli abbassò i pantaloni fino alle caviglie per rivelare un pene semi-eretto.

Lo guardò per un momento.

Era un po' più grande di quello del suo ragazzo.

Lo tenne in mano e lo accarezzò brevemente prima di fermarsi a pensare.

Esitò.

"Voglio che tu sappia che normalmente non lo faccio", ha detto dopo aver riflettuto. "Ho fatto questo genere di cose solo nelle relazioni. Sono sempre stato contrario alle donne che usano il loro corpo o la loro sessualità per ottenere ciò che vogliono."

"Ecco esattamente perché voglio il mio cazzo nella tua bocca."

Il commento la offese un po'.

Ma le faceva comunque venire un formicolio tra le gambe.

Lei si sporse per succhiargli il cazzo.

Ha sempre amato succhiare i cazzi di tutti i suoi fidanzati.

Era qualcosa che gli era piaciuto fin dalla prima volta che l'aveva fatto.

Per lei era diventata un'esperienza sessuale molto eccitante.

E non c'erano mai state denunce.

Aveva sempre ricevuto recensioni entusiastiche per le sue abilità nel sesso orale.

Con le labbra avvolte attorno al cazzo, scosse la testa mentre succhiava.

I suoi polsi legati limitavano il movimento della mano.

La sua lingua vorticava intorno alla testa e al cazzo.

Guardò l'insegnante sopra di lei mentre continuava a succhiare.

Stabilirono un contatto visivo, il che fu in qualche modo eccitante e parzialmente umiliante.

Distolse lo sguardo mentre cominciava a prendere il suo cazzo più profondamente nella sua bocca.

Poi gli succhiò ciascuna delle palle.

"Sei bravissimo in questo," gemette. "Lo sapevo. Hai le labbra perfette per questo."

"Grazie," sussurrò, dopo aver tolto brevemente il suo cazzo dalla sua bocca.

Tornò al lavoro sperando di farlo venire il più velocemente possibile.

Più si sforzava di succhiargli il cazzo, più si eccitava nel processo.

Non aveva bisogno di toccarle la figa per rendersi conto che era fradicia tra le gambe.

"Per ora basta", ha detto. "Voglio che ti pieghi sul tavolo della sala da pranzo. A pancia in giù. Faremo sesso tra un attimo."

Lo guardò stupita.

"Il nostro patto prevedeva un pompino. Tutto qui."

"Le offerte possono sempre essere migliorate."

"Per favore. Ho appena accettato di farti un pompino."

"Toccati tra le gambe. Il tuo corpo sa quello che vuole. Se sei asciutto , allora uscirò e ti darò tutto quello che vuoi. Se sei bagnato, abbiamo ancora del lavoro da fare."

L'insegnante era persistente.

Cynthia sapeva che aveva senso.

Il suo cuore lo voleva.

La sua figa lo voleva.

Non aveva senso combattere.

Qualunque cosa tu faccia, ti sentirai bene.

La farà venire di nuovo.

Allora perché rifiutare?

Si alzò e si avvicinò al tavolo della sala da pranzo, che era a pochi metri di distanza.

Si sporse in avanti, appoggiando le mani, il viso, il seno e lo stomaco sul tavolo.

La tavola su cui aveva condiviso innumerevoli pasti con la sua migliore amica era improvvisamente diventata un luogo di soddisfazione sessuale.

Si chiedeva cosa avrebbe fatto dopo, ma non ne aveva idea.

Non sapeva cosa aspettarsi.

Sentì il rumore della borsa strascicata mentre il professore cercava.

Il professore legò le sue mani legate alle gambe del tavolo usando altra corda nera.

I polsi di Cynthia erano completamente immobilizzati e non c'era modo che potesse muovere le braccia.

Il professore legò anche ciascuna caviglia al fondo del tavolo.

Le gambe di Cynthia erano aperte, e la sua figa e il suo ano erano spalancati.

"Sai cos'è un flagello?" chiesto.

"Sì," rispose nervosamente.

"Lo userò su di te. Non preoccuparti. Non ti farò del male. Potrebbe farti un po' male. Fammi sapere se è troppo."

Cynthia strinse forte la corda mentre la frusta le colpiva le natiche.

Il secondo colpo fu più forte.

Ricordava fin troppo bene la sensazione dell'ultima sculacciata.

Era una sensazione che non avrebbe mai dimenticato.

Ma la fustigazione era molto più potente della pala.

Ciascuna estremità della fustigazione le trasmetteva una sensazione di formicolio attraverso la figa e la spina dorsale.

Ciascuna estremità del flagello la stimolava sessualmente.

La fustigazione si è spostata sulla parte superiore della schiena.

Il ticchettio era forte vicino al suo orecchio.

Ha fatto male.

Iniziava a gemere ogni volta che veniva colpita.

Il dolore divenne sempre più acuto.

Ma anche il piacere.

È diventata una combinazione potente e perfetta.

L'ha sculacciata forte sulla schiena e la sua figa si è bagnata.

Gemeva forte ad ogni colpo.

Quando la sua schiena diventò rossa, diresse l'attenzione della sua frusta verso il basso, colpendole la parte posteriore delle cosce.

L'area era così sensibile che quasi la fece urlare.

Cynthia strinse più forte la corda nella speranza di alleviare il dolore.

La fustigazione si è spostata su ciascuna natica di Cynthia.

Era il posto che gli dava più piacere.

Ciascuna estremità della frusta la colpì forte e la fece arrapare ancora di più.

La fustigazione si fermò per un momento misericordioso e il professore inserì due dita nella sua figa.

"Mio Dio", ha detto. "Sei come un rubinetto. Poverino."

"Io... ho bisogno di venire."

Lui sorrise.

"Tra qualche istante, caro. Prima dobbiamo finire i preliminari."

Il professore tornò alla sua posizione di frustata e sculacciò delicatamente Cynthia proprio tra le natiche.

Lei gemette quando le estremità della sculacciata colpirono direttamente la pelle ultrasensibile della sua figa e dell'ano.

Lasciò che si adattasse al dolore per un momento prima di sferrare un altro colpo nella sua direzione.

Continuò a sculacciarle la figa e l'ano.

Abbassò la sculacciata e usò la mano aperta per schiaffeggiarle la sensibile zona sessuale.

All'inizio la sculacciata fu delicata.

Ma poi aumentò la forza per ogni sculacciata.

Si è anche assicurato di sculacciarle il clitoride gonfio, facendola gemere come una puttana.

La sua mano diventava umida dei fluidi della figa di Cynthia dopo ogni sculacciata.

"Penso che tu sia pronto. Vuoi venire adesso?"

"Sì," gemette.

"Sei stata una brava ragazza. Quindi è giusto che te lo costringa a fare."

Frugò di nuovo nella borsa.

Cynthia non riusciva a vedere cosa stesse cercando il professore.

Tutto quello che sentivo era il rumore del mercato azionario.

Poi sentì le sue dita allargarle le labbra mentre inserisce un oggetto.

Era un giocattolo sessuale.

Liscio e perfettamente formato.

Scivolò facilmente nella sua figa grazie alle sue piccole dimensioni, cosa che la deluse un po'.

Aveva bisogno di qualcosa di più grande.

L'oggetto sessuale si ritirò dalla sua figa, cosa che la deluse nuovamente.

Quando l'oggetto premette contro l'anello esterno del suo ano, si rese conto di cosa stava succedendo.

L'insegnante ha inserito l'oggetto nella sua figa solo per lubrificarla.

L'oggetto sessuale era destinato al suo sedere.

Si preparò mentre il piccolo sex toy veniva lentamente spinto nel suo ano.

È penetrato nell'anello stretto ed è entrato nel suo retto.

Il professore si prese il suo tempo e fece le cose lentamente, non volendo ferirla.

E le piaceva la sensazione di sentirsi tesa.

Ben presto dimenticò il dolore che provava per la fustigazione.

Il leggero dolore del giocattolo sessuale nel suo culo era molto più potente ed eccitante.

Una volta che il piccolo sex toy è entrato nel suo sedere, l'insegnante lo ha lasciato lì come stimolazione.

Poi, il suono di un pacco che veniva aperto echeggiò nella stanza silenziosa.

"Cosa fai?" chiese Cynthia con la faccia ancora abbassata.

"Mi metto il preservativo. Ti scoperò la figa perché sei una troia."

Quelle parole le mandarono un formicolio lungo la schiena e un brivido nella sua figa.

Anche se aveva le caviglie legate, fece del suo meglio per allargare ulteriormente le gambe.

Voleva essere scopata.

Voleva essere usata come un pezzo di carne.

Sapeva che l'insegnante non l'avrebbe delusa.

Lui le afferrò forte i fianchi e premette il suo cazzo duro contro le sue labbra.

Spinse delicatamente ed entrò.

È stato un ingresso facile dato che era distesa e profondamente eccitata.

La figa di Cynthia era una massa di desiderio ardente.

Il professore assaporava la sensazione della figa della sua studentessa universitaria.

Poi si spinse dentro fino in fondo, facendo sì che Cynthia premesse il viso contro il tavolo e sussultasse.

Il professore posò entrambe le mani sulle spalle di Cynthia, tirandola su.

Mosse lentamente i fianchi, scopandola.

Cynthia gemeva ogni volta che lui spingeva il suo cazzo nel suo corpo.

Con le mani legate strinse forte mentre tirava la corda.

La sua figa delicata stava ricevendo una scopata dura ed i suoi gemiti diventavano più forti.

Le accarezzò i capelli con una mano, assicurandosi che fossero dietro la schiena.

Poi abbassò la stessa mano per accarezzarle uno dei suoi piccoli seni, pizzicando il capezzolo gonfio e rosa.

"Sei la mia puttana?" Chiese con voce depravata.

"Sì."

"Dillo."

"Sono la tua puttana," gemette. "Sporca puttana."

Continuò a scoparla ancora più forte.

Continuò a stringerle la spalla con una mano e a fletterle la tetta con l'altra mano.

"Non sei femminista con me, vero?"

"NO."

"Che cosa siete?" chiesto.

"Sono la tua puttana," gemette. "Ho bisogno di essere trattato così."

L'ha scopata ancora più forte.

Il suo sesso bollente produceva forti rumori dal suo inguine, colpendole il culo morbido ogni volta che dava una spinta.

I suoi gemiti si trasformarono in suoni respiratori irregolari mentre cominciava a perdere il controllo dei sensi del suo corpo.

Lei lasciò andare.

Ha donato completamente il suo corpo al professore.

Lei era tutta sua.

Usò entrambe le mani per accarezzarle le tette e pizzicarle forte i capezzoli, facendola sussultare dal dolore.

Li pizzicò più forte, facendola sussultare ancora un po'.

"Io... ho bisogno di venire..." disse debolmente.

"Dillo più forte!"

"Ho bisogno di venire! Per favore!"

Sapeva esattamente cosa fare.

L'insegnante abbassò le mani.

Uno per sostenere l'anca.

L'altro si abbassò per accarezzarle il clitoride.

Cynthia gemette nel momento in cui lui le strofinò il clitoride con un movimento circolare.

In quel momento, Cynthia veniva stimolata dalla sua figa scopata, dal giocattolo sessuale nel suo culo e dal dito che giocava con il suo clitoride.

Ha urlato forte, senza preoccuparsi se i vicini potevano sentirla.

Probabilmente lo hanno fatto.

Chiunque stesse ascoltando probabilmente sarebbe stato emozionato.

Non le importava.

Cynthia urlò e le sue dita si piegarono.

Le sue braccia e le sue gambe tirarono la corda con tutta la sua forza, ma inutilmente.

La parte bassa della sua schiena cercò di inarcarsi, ma la presa era troppo forte.

Il suo volto si contorse dal piacere.

I suoi occhi si spalancarono.

Lei arrivò.

Con forza.

I fluidi erano ovunque.

La sua piccola figa era diventata un cazzo sessuale.

Il professore si stava avvicinando all'orgasmo.

Anche quando il corpo di Cynthia era diventato molle e prosciugato di energia, lui continuava a scoparle la figa bagnata finché non era soddisfatto.

Ha iniettato grandi quantità di sperma nel preservativo che indossava.

Grugnì, e poi le sue spinte si fermarono prima che si sdraiasse sulla schiena di Cynthia per riposare.

Erano entrambi completamente sudati quando il sesso finì.

Continuava a baciarle i capelli sulla nuca.

"Sei una dea", ringhiò, senza fiato. "Una vera dea. Hai reso un uomo completamente felice."

Cynthia era ancora esausta e respirava affannosamente.

"E tua moglie non lo fa?" Disse con un sospiro.

"E il tuo ragazzo?" Disse altrettanto con un sospiro.

Entrambi risero.

"Slegami," riuscì a parlare di nuovo a bassa voce con un sospiro leggero.

L'insegnante tirò fuori dalla sua figa il suo cazzo flaccido e coperto dal preservativo e cominciò a slegarla.

Quando fu libera, Cynthia giaceva sul pavimento, immersa nei suoi fluidi vaginali.

Il professore si sedette accanto a lei, accarezzandole i morbidi capelli.

"Ti darò quello che vuoi. Farò del mio meglio. Sei magnifico."

Lo guardò.

"Anche tu. Non sono mai... mai venuto così prima."

"Abbiamo ancora qualche giorno per stare insieme. Ho intenzione di sfruttarli al massimo. Per i prossimi giorni, sarai il mio piccolo e sporco gattino sessuale. Poi potrai tornare a casa dalla tua famiglia e dal tuo ragazzo e goderti il riposo ."

Lei sorrise.

" Mi sto già godendo la pausa."

Detto questo, Cynthia appoggiò la testa sulle ginocchia del professore.

Ha rimosso il preservativo bagnato.

Prese il pene flaccido in bocca e succhiò il resto dello sperma.

Il professore gemette.

DOTTORESSA MOLTO COMPRENSIVA

"Il dottore la visiterà subito, signore; si sieda lì, per favore."

Andrew annuì mentre si avvicinava al lettino degli esami e si sedeva.

Un pezzo di carta velina riempiva la barella.

Si abbassò la manica della camicia mentre l'infermiera chiudeva la porta dietro di lei, sospirando.

Gli ci era voluto molto per convincersi ad andare dal dottore, ma alla fine ne aveva avuto abbastanza ed era stufo.

Per non parlare del fatto che era frustrato dal proprio corpo.

Sembrò un'eternità prima che la porta si aprisse di nuovo, ma quando finalmente la giovane donna entrò, interrompendo i pensieri vaganti di Andrew, questi decise che valeva la pena aspettare.

"Salve, signor Harrison, mi dispiace per l'attesa. Ho avuto molti pazienti che ho dovuto visitare oggi."

La dottoressa si avvicinò alla scrivania e prese una valigetta, che l'infermiera vi aveva lasciato, con gli appunti che aveva preso dopo le domande che mi aveva rivolto sullo scopo della mia visita.

"Senza dubbio tutti hanno trovato qualche motivo per venire a trovarla, dottore, so che lo farei sicuramente!"

I suoi occhi, di una bellissima tonalità di blu in cui ti sembrava di poter nuotare, si alzarono dai suoi appunti per incontrare i tuoi.

Un sorriso apparve sugli angoli delle sue labbra.

Labbra molto, molto ben formate.

"Sta cercando di dirmi che è venuto qui oggi per farmi perdere tempo, signor Harrison?"

Ridacchiò.

"No, purtroppo, dottor Martínez. Temo di avere un problema molto reale, anche se lei è la prima persona con cui sono venuto a trovarlo."

Guardò i suoi appunti.

Mentre sedeva alla piccola scrivania a leggere, la osservai mentre accavallava le gambe.

Era una donna latina piuttosto bassa, ma le sue gambe nude, sotto la gonna del camice medico, sembravano durare per chilometri.

Andrew si ritrovò a desiderare che la gonna a tubino non finisse appena sopra le sue ginocchia.

"Qui dice che lei si è rifiutato di parlare con l'infermiera dell'esatta natura della sua visita, signor Harrison, quindi... mi parli velocemente, per favore, prima di poter continuare."

Le spalle di Andrew si abbassarono un po', poiché speravano di coinvolgere questa donna in una conversazione un po' più privata prima che lei interrompesse i suoi pensieri con lo scopo della sua visita.

Ma... supponeva di dover assicurarsi che non fosse solo un ipocondriaco che aveva letto troppo su qualche argomento su Internet.

"Io... beh, sembra che io abbia dei... problemi continui e persistenti in camera da letto."

Lei inarcò una delle sue perfette sopracciglia scure, e lui non poteva negare che questo gli diede un po' di brivido mentre i suoi occhi lo attraversavano con intrigo.

"Lei sembra un uomo relativamente giovane in... beh, ottime condizioni fisiche, signor Harrison. Prima che io entri più nei dettagli sui suoi problemi, mi dica. Perché ha scelto di venire qui? Sembra un nuovo sintomo So di non aver mai avuto un "Nessuno è mai venuto qui prima con questo problema, quindi chi me lo ha consigliato?"

Beh, ad essere sincero, dottore, di solito non vado dai dottori. "Non ne ho davvero bisogno, e infatti per questo particolare problema, io... non mi sento molto a mio agio ad andare da un medico per parlare di questo genere di cose."

Lei sorrise pienamente, questa volta.

Posò il blocco per appunti sul tavolo mentre si voltava verso di lui direttamente, stringendogli le mani attorno al ginocchio.

"Due cose, signor Harrison. Primo, chiamami signorina Martinez o Rosa. Secondo, penso che faremo meglio a stabilire una premessa adesso: devi essere completamente onesto e diretto, ok? Sembra che questa sia una situazione delicata per te , "Quindi penso che sia importante trattare la questione seriamente e senza pregiudizi, poiché approfondiremo alcune ragioni piuttosto personali. Non è vero?"

"Assolutamente, Rosa. E chiamami Andrew, per favore."

Lei annuì.

"Va bene, Andrew. Dimmi, esattamente di che tipo di problemi stai parlando ? Eiaculazione precoce? Difficoltà a sviluppare un'erezione?"

Andrea sentì le guance riempirsi di calore, strisciò un po' sul tavolo della barella, lasciando il rumore del fruscio della carta, e rispose:

"Beh, non ho mai avuto problemi prima, nemmeno la prima volta. Ma... credo di avere difficoltà a ottenere e rimanere duro. La cosa importante è che non riesco a raggiungere l'orgasmo da più di un anno. " "

"Dio, un anno intero; penso che morirei se mi accadesse. Hai idea del perché tutto questo possa aver cominciato ad accadere? Sono accaduti cambiamenti o cose brutte nella tua vita, qualche brutta esperienza con un amante "Perdita di interesse per tua moglie?"

"Oh, non ho avuto problemi con mia moglie o con le mie amanti."

Rosa sorrise, ma gli fece cenno incoraggiante di continuare quando si fermò a pensare.

"Non riesco davvero a pensare a niente. Vivo nella stessa situazione da diversi anni. Mi sono sposato da un po' e da un paio d'anni non ho nuovi amanti."

"Diresti che normalmente hai una vita sessuale attiva? Oppure è cambiato qualcosa da quando è iniziato questo?"

Andrew alzò le spalle.

"La situazione è sicuramente cambiata da quando è iniziato tutto questo. Voglio dire, ho degli amici con cui mi piace fare sesso, dato che abbiamo un'intesa reciproca. Mia moglie non mi tocca da un po' quindi non c'è stato molto. Ogni ogni tanto incontro una donna in un bar, che potrebbe sembrare più di un'amicizia, ma alla fine nessuna che semplicemente... faccia sparire il problema di non diventare duro, immagino. ".

"E questi tuoi amici, le ragazze con cui hai una relazione sanno che hai altri amici? Che hai una moglie? A loro va bene? O lo tieni segreto?"

Andrew scosse la testa.

Rosa si sporse in avanti mentre parlava e lui notò che il suo top, sebbene non corto, sembrava avere ampi spazi tra i bottoni.

Lo stetoscopio che aveva messo al collo rimase impigliato in uno di essi, e sembrò offrire una piccola visione di qualcosa di viola sotto mentre cambiava posizione e tirava il tessuto.

"Se ho una relazione consensuale, non devo mentire. Non nascondo nulla se me lo chiedono. Mi assicuro che sia chiaro che anche le altre ragazze sono mie amiche e che io sono sposati se sono interessati. E si scopre anche che ci sono amici a cui devo dire che le piace molto il sesso. Tuttavia, se qualcuno volesse andare verso l'esclusività, ovviamente le parlerei in modo che non lo faccia continuare a farlo. Altrimenti la relazione verrebbe interrotta. Le reazioni sono... contrastanti, ma spesso "Mi dice molto di più su quella ragazza di quanto qualsiasi altra cosa potrebbe dirmi".

"Hmm. E diresti che non potresti mai smettere di fare sesso con quegli amici?"

"Sono miei amici. Una volta uscivo con una ragazza in cui siamo arrivati a quel punto, ma ho smesso di vederla perché pensava che fossi esclusivo per lei."

"Come è successo?"

"Apparentemente ha dimenticato quel piccolo dettaglio su cui avevamo concordato."

"Capisco. Dimmi: diresti che sei poliamoroso o hai tendenze poliamorose?"

Andrew si accigliò un po', un po' confuso su come questo fosse collegato al suo problema, ma disposto ad affrontarlo.

"Direi che sono aperto a questo, senza necessariamente averne bisogno. Sento che finché una coppia è aperta e onesta con ciò che vuole e si aspetta dal comportamento dell'altro, allora il sesso dovrebbe essere quello che vogliono che sia tra loro. loro."

"Ed esclusivo?"

"Certo che potrebbe essere. Tra di loro, ma aperti alle esperienze con gli altri, sia insieme che separatamente, purché entrambi siano onesti e siano d'accordo. Sicuramente ho avuto relazioni in cui ognuno di noi condivide i propri amici e così via. Come ho già detto, anche il contrario, l'esclusività."

"Ma solo uno?"

"Anche altri volevano optare per l'esclusività subito, ma... mi sembra sciocco."

Andrew alzò le spalle, ma Rosa aggrottò la fronte.

"Perché?"

"Beh, per esempio con te. Se cominciassimo a vederci. Non ti conosco, ma sicuramente ti trovo attraente. Se iniziassimo a frequentarci, suppongo che anche tu troveresti attraente me; quindi cosa c'è di sbagliato nel goderci l'uno con l'altro?" altri sessualmente senza esclusività, se siamo responsabili?

"Allora qual è la differenza tra uscire con qualcuno e avere amici con benefici?"

"Lo scopo degli appuntamenti è trovare qualcuno con cui vuoi condividere la tua vita, giusto? Idealmente per un lungo periodo di tempo, se non per sempre quando si tratta di matrimonio. Amici... potrebbero piacerti o goderti il sesso tra loro, ma hanno scoperto, insieme o separatamente, che non funzionano bene come coppia, né a lungo termine, né nell'unione quotidiana. Ma ciò non significa che non possano fare del buon sesso e farci stare bene l'un l'altro".

Rosa ridacchiò.

"Onestamente, è una prospettiva piuttosto salutare. Vorrei avere degli amici con dei benefici nella mia vita come te, dato che ultimamente ho bisogno di rilassarmi molto."

Rosa si mise a sedere, quasi riprendendo un contegno professionale.

"Ehm. Comunque va bene; quindi... non ci sono stati eventi, sessuali, professionali o personali, che avrebbero potuto... scoraggiare o aggiungere molto stress, o qualcosa del genere?"

"Non che mi venga in mente."

"E non riesci a liberarti nemmeno masturbandoti? O facendo sesso con qualcuno di questi tuoi amici con cui non hai mai avuto problemi prima?"

"No, affatto. E non ho mai avuto problemi a scendere prima. Questo è davvero frustrante."

"E dici che hai difficoltà ad avere e mantenere un'erezione."

"Sì, voglio dire, mi ecciterò, diventerò rigido, ma comunque un po' uhmmm... sciolto, se vuoi metterla così. Questo rende difficile la penetrazione, sai? E a dire il vero , dal momento che abbiamo detto che lo saremo, un paio di miei amici adorano VERAMENTE il fatto che mi entri in testa, parte del motivo per cui siamo diventati così buoni amici, e siamo VERAMENTE bravi in questo. Ma comunque . Posso avvicinarmi a loro, probabilmente più vicino che con qualsiasi altra cosa, che anche con le mie stesse mani, ma non riesco a raggiungere l'orgasmo."

"Non riescono nemmeno a farti diventare completamente duro?"

Andrew scosse la testa.

Rosa aggrottò la fronte, con le labbra increspate, pensierosa.

Lei tamburellava con le dita contro il suo ginocchio, e Andrew aveva difficoltà a non fantasticare su come sarebbe stato avere quelle labbra attorno al suo cazzo.

Si era eccitato non appena lei era entrata, ma poteva effettivamente sentire il suo cazzo diventare un po' rigido ogni volta che guardava quella comoda piccola apertura nella sua maglietta.

All'improvviso si alzò.

"Bene, Andrew, penso che dovremo fare un esame fisico per essere sicuri di escludere certe cose. Ti dispiacerebbe spogliarti?"

Andrew immediatamente allungò la mano per iniziare a sbottonarsi la camicia.

"Beh, normalmente, Rosa, insisterei per almeno una buona cena prima, ma per te..."

Rosa arrossì leggermente e si morse il labbro inferiore, intrecciando le mani davanti a sé.

"Uh... normalmente, il paziente aspetta che il medico esca, in modo che possa spogliarsi e indossare un camice medico. Poi, il medico bussa alla porta e ritorna su richiesta del paziente."

Andrew alzò le spalle e continuò a sbottonarsi la camicia per esporre il suo petto peloso.

"Che senso ha? Esaminerai i miei genitali e potresti facilmente vedermi fuori a torso nudo in una calda giornata estiva. Inoltre, hai fretta e non mi interessa. Non sono timido. Sicuramente niente che non abbiate già visto."

Rosa ridacchiò, i suoi occhi caddero a vagare sul busto di Andrew mentre si toglieva la maglietta.

"Beh, sicuramente niente che non abbia già visto prima, ma... se per te è d'accordo, immagino che non ci sia problema. E sai, ovviamente non ti fermerai comunque."

Andrew rise, alzandosi e chinandosi per cominciare a sbottonarsi i pantaloni.

"Ehi, di certo non sembra che neanche tu te ne vada."

Lei gli sorrise mentre scuoteva la testa, indietreggiando leggermente mentre lui scendeva dal gradino del lettino per mettersi in piedi sul pavimento.

I pantaloni di Andrew toccarono terra e lui se li tolse, guardandola con un sorriso giocoso mentre agganciava i pollici alla cintura dei suoi boxer.

"Dovresti affrontare la grande rivelazione o preferiresti voltarti e vedere più tardi?"

Lei rise, ricambiando la sua espressione giocosa, mentre le sue mani stringevano lo stetoscopio.

"Affrontami; non sono sicuro di poter resistere a colpirti il culo se ti giri."

"Beh, in questo caso..."

Andrew si voltò rapidamente e si chinò mentre abbassava i suoi boxer, agitando il sedere ora nudo in direzione di Rosa e girando la testa per guardarla da sopra la spalla.

Si era coperto la bocca con una mano e rideva piano.

"Sei MALE, Andrew Harrison. È un comportamento molto inappropriato in una relazione medico-paziente!"

"Non dirò niente se non lo fai neanche tu, Rosa Martínez."

Lei alzò gli occhi al cielo mentre lasciava cadere la mano, ma Andrew notò che i suoi occhi percorrevano tutto il suo corpo mentre si girava verso di lei, appoggiando le mani sui fianchi.

"Così quello che ora?"

Rosa abbassò lo sguardo in modo deciso, alzando un sopracciglio con un sorriso.

"Beh, sembra proprio che tu non abbia molte difficoltà adesso...!"

Andrew seguì il suo sguardo; Il cazzo era duro, questo era evidente.

Rosa era una donna molto attraente e lui si divertiva a flirtare con lei.

"Ebbene, un cadavere si irrigidirebbe stando nudo nella tua stessa stanza, Rosa; anche se non è la stessa cosa di un'erezione completa!"

Lei alzò gli occhi al cielo e sorrise un po', ma sembrava davvero che stesse cercando di mantenere un po' di professionalità continua.

Allungò la mano per togliersi lo stetoscopio, ma mentre lo faceva, un paio di bottoni della sua camicetta si aprirono.

Gli occhi di Andrew si spalancarono mentre si girava per aprire un cassetto.

"Tu torna sul tavolo e io prendo dei guanti..."

Andrew fece quello che gli era stato chiesto, chiedendosi se i pulsanti aperti avrebbero portato ad una visione migliore.

Ammirando il fondoschiena di Rosa quando lei gli voltava le spalle, la sua mente vagò verso molteplici sordidi scenari.

"Beh, questo è scomodo."

Si voltò per tenere in una mano un unico guanto medico blu e nell'altra una scatola vuota.

"Devo andare a prendere una nuova scatola. Forse dovresti metterti una..."

"Pshh; per favore! Ne hai uno. Non stai indagando su ferite aperte o qualcosa di invasivo. Non sto trasudando nulla da nessuna parte. Sto bene se per te è d'accordo."

Rosa scosse la testa.

"Assolutamente no, viola non so nemmeno quante regole, e la più grande è la violazione della sterilizzazione, e..."

"Dottor Rosa. Deve fare un esame fisico della zona per assicurarsi che non ci siano anomalie, vero? Non è che stai ingerendo qualcosa o hai ferite aperte sulla mano, vero? Non farai nemmeno metti le dita ovunque sulla tua mano. mio".

Lo guardò negli occhi.

"Potresti benissimo aver bisogno di esaminare la tua prostata, onestamente parlando."

"Beh, hai un guanto."

"Avrei potuto semplicemente attraversare il corridoio per prendere una nuova scatola e tornare indietro."

Andrew sorrise, alzando le mani, alzando le spalle e inclinando la testa di lato.

"Eppure non l'hai fatto..."

La dottoressa Rosa alzò gli occhi al cielo esasperata e le mise velocemente il guanto sulla mano sinistra, scuotendo la testa.

Tuttavia, poteva vedere la leggera traccia di un sorriso sulle sue labbra e increspare gli angoli dei suoi occhi.

"Sei impossibile! Apra le gambe, signore!"

Cercando di non mostrare la propria anticipazione, Andrew allargò immediatamente le gambe per dare a Rosa il maggior accesso possibile.

Lottò per non sospirare di piacere quando sentì la carne calda, morbida e nuda della mano destra di Rosa arricciarsi attorno al suo membro, seguita dal guanto freddo e asciutto della mano sinistra che gli stringeva le palle.

Le sue dita iniziarono a sondare attentamente la sua lunghezza mentre manipolava il suo sacco di palle, accigliandosi per la concentrazione e apparendo incredibilmente sexy mentre si inclinava leggermente in avanti.

I suoi occhi si spalancarono quando la camicia di lei si abbassò un po' per rivelare una deliziosa, cremosa distesa di seni morbidi, a coppa e sostenuti da un reggiseno viola arruffato.

Sentì il suo battito accelerare, sentì il suo cazzo gonfiarsi per l'eccitazione e l'eccitazione sia per il contatto che per la vista.

"Non sento alcun colpo o rottura anomala, quindi va bene. Anzi, posso davvero... oh! Beh, allora... sicuramente qualcuno sta rispondendo in modo terribile all'improvviso..."

Alzò il viso per guardarlo e Andrew sentì un'altra ondata crescente di desiderio sessuale e tensione crescere.

Come ti sentiresti ad affondare il tuo cazzo in quella bocca parzialmente aperta e sentire il talento della tua lingua sul tuo cazzo desideroso?

Lui distolse nervosamente gli occhi, temendo che lei potesse vedere la nuda, cruda lussuria in essi.

"Io ehm... beh, Rosa, uhmmm... a dire il vero..."

È stato un...problema cerebrale, non dovuto solo alla tecnica dell'esame puramente clinico, che ha iniziato a darti questa sensazione?

Andrew non poteva esserne sicuro.

Tuttavia, sentì il bisogno quasi travolgente di iniziare a spingere contro la sua presa.

"Andrew, ricorda; avevamo detto che saremmo stati sinceri e onesti l'uno con l'altro. Nessun pregiudizio."

Andrew si voltò con riluttanza a guardarla.

Il suo viso era calmo, ma... sembrava esserci un luccichio nei suoi occhi.

In qualche... modo specifico, stava stringendo le labbra.

Anticipazione?

La vista delle sue mani su di lui, la vicinanza del suo viso al suo inguine.

Se avesse girato la testa, probabilmente avrebbe potuto sentire il tocco del suo respiro contro la sua pelle.

Anche la vista del suo seno dall'aspetto piuttosto sorprendente era qualcosa di spettacolare.

Il modo in cui inconsciamente la vedeva in quel modo – involontario, innocente, ma chiaramente intimo e privato – era inebriante.

Sentì il cazzo contrarsi tra le sue mani, la sua eccitazione sembrava essere fuori controllo.

"Quindi, onestamente, Rosa, è passato molto, molto tempo dall'ultima volta che ho avuto una donna chiaramente intelligente, divertente, affascinante e semplicemente meravigliosa che mi affascinava e mi eccitava facilmente. Tu hai la tua mano sul mio cazzo e io ho un Una visione incredibile della tua maglietta che mi fa capire quanto tempo è passato dall'ultima volta che ho visto un paio di seni così grandi e belli e, francamente, non riesco a ricordare l'ultima volta che sono stato così arrapato o morente dalla voglia di fare sesso selvaggio.

Gli occhi di Rosa si spalancarono, la mano guantata cadde verso di lei per toccare l'incavo della sua camicia mentre guardava in basso.

Le sue guance arrossirono immediatamente di un profondo e luminoso scarlatto.

Lei lo guardò, mordendosi il labbro inferiore, ma lui notò che non aveva tolto la mano nuda dal suo membro mentre abbassava la mano guantata, dirigendo semplicemente lo sguardo verso il suo cazzo duro e poi di nuovo verso il suo viso.

I loro occhi si incontrarono.

Andrew sussultò.

"Io... non posso nemmeno... ho... sei duro come una roccia. Non hai alcun problema!"

"Per la prima volta in più di un anno. Grazie a te. Lo prometto, non me lo sto inventando."

L'improvviso calore delle labbra di Rosa mentre si avvolgevano avidamente attorno alla punta gonfia del cazzo di Andrew li fece gemere entrambi.

Le mani di Andrew afferrarono i bordi del lettino mentre osservava la bocca di Rosa scendere sul suo cazzo.

Sentì la sua lingua morbida leccare, strofinare e stuzzicare la parte inferiore della sua erezione mentre lo inspirava in bocca.

Lei fece le fusa attorno al suo cazzo pulsante, succhiandolo mentre le sue dita prendevano un tipo completamente diverso di tocco e carezza sulle sue palle.

I suoi occhi bruciavano di un intenso bisogno che sembrava rispecchiare i suoi, osservando la sua reazione mentre iniziava a dargli piacere.

Mentre la sua testa cominciava a scivolare su e giù su di lui.

Era affascinato dalle sue azioni, dai movimenti ritmici sul suo cazzo dolorante e dalla cruda sessualità che sentiva nel suo sguardo mentre testimoniava il piacere che le stava dando.

La gioia che ovviamente provava nell'essere la fonte di tutto ciò era indescrivibile.

I suoi occhi si spostarono sui brevi, sussulti lampi della sua scollatura vestita di reggiseno.

Lei si staccò da lui, ansimando leggermente, guardando i bottoni slacciati prima di sorridere.

"Vuoi vedere di più...?"

Lui annuì, cercando di non notare il filo di saliva che si diffondeva lentamente dalle sue labbra umide alla punta scintillante del suo cazzo.

Lei gli stava sbottonando la camicetta, lasciandola cadere a terra dietro di lei e subito si allungò per slacciare i fermagli del reggiseno.

Osservò la sua reazione mentre lo rimuoveva lentamente dal corpo, sorridendogli scherzosamente mentre il suo bellissimo seno pallido veniva liberato dalla loro prigionia.

Andrew gemette piano alla vista.

Senza esitazione allungò una mano per prenderle a coppa il seno nudo sinistro.

Accarezzò l'anatomia calda e deliziosamente morbida della dottoressa Rosa Martínez.

"Oh Dio... Rosa...!"

I suoi occhi si strinsero, un brivido la fece visibilmente tremare contro di lui.

Alzò la mano, mettendogli un dito sulle labbra.

"Era da tanto tempo che un uomo non mi toccava così... ho così da fare che non esco mai molto...! Noi... non possiamo fare troppo rumore..."

Lui le baciò il dito, facendo scivolare la lingua sulla punta e succhiandolo scherzosamente, lentamente, mentre la guardava.

Le strinse il seno tra le mani, facendola gemere piano mentre mormorava:

"Non dovrebbe essere... tutto una questione di me. Voglio te, Rosa. Tutto di te. Non solo la tua bocca, nemmeno il tuo fantastico seno. Possiamo goderci l'un l'altro, farci sentire bene a vicenda. "

Il suo viso era arrossato dall'eccitazione (il suo seno aveva persino una tonalità rosa) e lui poteva sentire il capezzolo duro e sporgente contro il suo palmo.

Sentì la sua mano scivolare sul suo petto e poi giù per afferrargli il cazzo.

Dandogli una stretta, uno schiaffo molto deliberato, questa volta.

"Sei pulito...? Non è vero...?"

"Se tu?"

Lei rispose facendo un passo indietro e allungando la mano per afferrare la cerniera della gonna.

Si leccò le labbra mentre osservava la sua erezione oscillare nell'aria.

La gonna le scivolò lungo le gambe senza sforzo, seguita subito dopo da un paio di setose mutandine viola, dal taglio lusinghiero.

L'odore della sua eccitazione era forte e Andrew poteva vedere l'umidità luccicante che luccicava sull'interno delle cosce di Rosa, adornandosi letteralmente lungo le sue morbide labbra.

"Non sono sicuro che potremo resistere a lungo..."

Rise piano, leccandosi le labbra mentre si sedeva sul lettino con un pezzo di carta velina.

Rosa stava salendo sul gradino, facendo scivolare una gamba sul suo corpo mentre si sistemava sopra di lui, respirando avidamente.

Lei gli afferrò il cazzo (le tremava la mano?) e lo guardò.

Fece scivolare le mani lungo la morbidezza del suo corpo nudo con reverenza finché non si posarono sui suoi fianchi.

La tirò a sé, appoggiando la punta pulsante contro il suo ingresso bagnato, ma senza andare oltre.

"Non sarai l'unica, Rosa. Spero proprio che tu sia d'accordo. Nessun pregiudizio, ricordi?"

Lottarono per gemere silenziosamente mentre lei scivolava su di lui.

Il calore umido del suo corpo lo avvolse comodamente e abbracciò la sua dolorante erezione nel profondo delle sue profondità.

Lei gettò indietro la testa, la bocca aperta in silenzio, mentre lo prendeva completamente.

Iniziò a strofinare i fianchi contro il suo corpo.

Il suo petto si sollevò, invitando le sue mani ad allungarsi e ad afferrarli entrambi, stringendoli delicatamente mentre lui tremava sotto di lei.

La sua voce tremante riuscì a rimanere per lo più bassa mentre reagiva.

"Ohhhhh! Diosss...!"

Gli piantò le mani sul petto mentre abbassava la testa per guardarlo avidamente.

I suoi fianchi cominciarono a oscillare mentre cominciava a cavalcarlo.

Le mani di Andrew scivolarono lungo la sua pelle, accarezzandole i lati del corpo, stringendole i fianchi prima di allungarsi per afferrare il suo culo sodo e tonico.

Le sue dita si piegarono contro di lei, affondando nella sua carne mentre la attirava più forte contro di sé, usando le sue gambe per soddisfare i suoi movimenti con le sue stesse spinte.

Stava ansimando sotto di lei.

"Mi sento...così...bene, Rosa...dannatamente...bene!"

Lei sorrise timidamente, ma non fece altro che aumentare il ritmo, scopandolo disperatamente, con gli occhi socchiusi mentre grugniva di profonda soddisfazione.

Il foglio si accartocciò sotto Andrew che era già fuori controllo in reazione ai suoi movimenti.

Cercò di non muovere troppo la parte superiore del corpo, ma in un certo senso non gli importava.

Il suo cazzo pulsava avidamente negli stretti confini di Rosa, una durezza completa di cui non era riuscito a godere da troppo tempo.

Poteva sentire ogni increspatura della sua figa scivolosa mentre lo cavalcava .

Ogni contrazione e tremore dei loro muscoli interni mentre esplodevano come due animali.

La sua figa si contraeva sempre più frequentemente.

Il ritmo energico di Rosa si fece sempre più frenetico, finché non sentì trattenere il fiato.

Vide la sua spina dorsale tendersi mentre si inarcava all'indietro e sentiva il suo orgasmo sul suo cazzo.

Lei però non si è fermata affatto.

Rosa continuò ad avanzare, mordendosi il labbro inferiore mentre gemeva di gioia con la bocca chiusa.

Andrew poteva sentire le sue palle stringersi, sapeva che non avrebbe resistito ancora a lungo.

Il pensiero che si sarebbe ammorbidito di nuovo e avrebbe perso la capacità di continuare a scopare quella dea bellissima e sexy, era orribile, ma non poteva farci niente.

Era troppo bello.

QUESTO sembrava troppo bello.

Ansimando, mosse una mano, frugò tra i loro corpi sudati e in collisione, e trovò il suo clitoride da strofinare mentre lo scopava.

Gli occhi di Rosa si spalancarono, il suo sguardo incontrò di nuovo quello di lui mentre la sua bocca si apriva in un urlo silenzioso.

La sua figa si strinse attorno a lui, ancora più stretta di prima .

Completamente incapace di trattenersi, Andrew sentì il suo orgasmo, il primo in più di un anno, arrivare fino a lui.

Getti di sperma duri e densi esplosero nella figa di Rosa, facendo gemere Andrew in modo incontrollabile.

Finché Rosa, a metà del becco, gli premette una mano sulla bocca per cercare di zittirlo.

La sua bocca sorrideva selvaggiamente mentre tremavano l'uno contro l'altro, uniti nella loro estasi.

Con completa indulgenza per il piacere reciproco dei corpi.

Il suo corpo si contorse sotto di lei, e lei fece del suo meglio per strusciarsi contro di lui .

Mentre continuava a pompare sempre più sperma nella sua figa, lei accettò con entusiasmo.

Un anno di frustrazione sessuale repressa finalmente esplose nel corpo di Rosa.

Ogni esplosione sembrava rilassare tutta la tensione nei muscoli di Andrew a un livello completamente nuovo, lasciandolo fluttuare in un mare di beatitudine come se fosse stato drogato.

Soffocando una risata mentre crollava su di lui, le mani di lui che le accarezzavano avidamente il corpo, Rosa spostò la testa sul suo petto peloso, ansimando mentre lo guardava.

"Non posso credere che l'abbiamo appena fatto...! Dio, era un sacco di sperma..."

Le braccia di Andrew si avvolsero istintivamente intorno al corpo di Rosa, tenendola stretta mentre le sue mani accarezzavano con reverenza la morbidezza della sua pelle.

Il suo petto si alzò e si abbassò rapidamente mentre cercava di riprendersi.

Un sorriso gli squarciò il volto mentre la guardava.

"Un anno, o almeno quasi. E mi sembra di averne ancora."

Lei fece le fusa deliziata, facendogli vibrare il petto.

Andrew giurò di poter sentire il suo spasmo intorno al suo cazzo morbido, sorprendentemente rigido, ancora alloggiato dentro di lei.

"Non vorrei altro che mungerti fino all'ultima goccia, con il corpo o con la bocca, ma più sto qui, più è probabile che venga una delle infermiere... e NON POSSO avere una causa ha presentato istanza di negligenza o molestia contro di me!"

Andrew alzò una mano per accarezzare la guancia di Rosa, le sue labbra trovarono le sue e la baciarono lentamente e sensualmente.

Chiuse gli occhi, assaporando la sensazione delle sue labbra, del suo corpo.

Come si godeva il proprio stupore post-orgasmico con una donna così incredibile!

"Grazie, Rosa. È stato... fantastico. Non riesco a descrivere quanto sia stato bello potermi sentire di nuovo così."

Le guance di Rosa arrossirono mentre si mordeva il labbro inferiore.

"Vuoi davvero dire questo...?

"Non sei davvero diventato duro o hai raggiunto l'orgasmo nell'ultimo anno?"

Andrew rise un po', continuando a strofinarle il pollice sulla guancia.

L'altra mano si spostò per prenderle il sedere nudo.

Era bello essere di nuovo così con una donna.

"Cosa, pensavi che stessi mentendo su tutto questo?

"Solo per metterti nei pantaloni?"

Lei alzò le spalle, sorridendo un po' imbarazzata.

"Non sarebbe la prima volta che mi succede qualcosa di simile. Succede alla maggior parte delle ragazze."

"Lo giuro, non ho avuto un orgasmo da più di un anno finora, e non mi è mai successo così duro almeno fino ad ora. Questa è stata la prima volta che sono riuscito a penetrare una donna, per non parlare di venirle dentro o falla venire sul mio cazzo, per più di un anno. Mi sento euforico e deliziosamente generoso in questo momento."

Rosa rise, chinandosi per rubargli un bacio veloce dalle labbra, ma si mise a sedere anche lei.

Lei mosse i fianchi contro di lui per un momento, sorridendo ampiamente mentre lo faceva con gli occhi socchiusi .

Ma lei si liberò lentamente dal suo cazzo.

Un diluvio di sperma le sfuggì dalla figa e scivolò lungo il suo corpo, accumulandosi lungo il bacino.

"Bene, allora mi sento incredibilmente lusingato, oltre che immensamente sollevato. A dire il vero, è da molto tempo che non vai a letto con me, anche se io e il mio vibratore siamo amici abituali. E io... non l'ho mai fatto qualcosa del genere prima." .. "

Sembrava nervosa, ma Andrew non poté fare a meno di sorridere.

Anche se aveva sicuramente avuto la sua giusta dose di incontri e sesso occasionale, questo... era qualcosa di completamente diverso, e lui stesso non era proprio sicuro di cosa dire.

Vide la pozza di sperma mentre si abbassava sul pavimento, e quasi si voltò per andare a prendere qualcosa per ripulirla, ma lui la guardò fermarsi e guardarlo.

Quindi semplicemente chinati e riportalo alla bocca.

La sua lingua lambiva il seme versato mentre lo succhiava leggermente.

Andrew sussultò, stringendo le mani sui bordi del tavolo mentre la sua schiena si irrigidiva, ma non riusciva a distogliere lo sguardo da quello che stava facendo.

Il suo cazzo pulsava di piacere, anche dopo che lei si allontanò lentamente da lui.

Prima gli baciò la punta del membro, poi leccò alcuni fili erranti di sperma dalla sua carne.

Lei gli sorrise timidamente mentre si raddrizzava di nuovo, guardando il suo cazzo.

Era chiaramente di nuovo completamente duro.

"Sembra che tu non abbia problemi ad avere un'erezione adesso, signor Harrison."

Andrew rabbrividì felicemente, cercando di sedersi in avanti, per recuperare i suoi vestiti mentre guardava Rosa chinarsi per raccogliere i suoi.

"Credo che mi abbiate guarito, signorina Martinez."

Lei sorrise, ma mentre gli porgeva alcuni dei suoi vestiti, si abbassò per toccargli il cazzo scherzosamente.

"Non sono d'accordo, signore; penso che dovrà fissare un appuntamento di controllo entro questa settimana. Dobbiamo monitorare attentamente le sue condizioni e assicurarci che non ci siano ricadute."

Il suo sorriso giocoso vacillò leggermente.

"La cosa è grave, ma comunque io... penso che probabilmente si possano escludere disturbi fisici, ma... ma vogliamo essere sicuri. Giusto, vero?..."

Andrew alzò una mano, sorridendo dolcemente.

"Capisco, dottoressa Rosa. E mi piacerebbe ritornare sul consulto. Ufficialmente, e... anche ufficiosamente, se per lei è d'accordo. Io... sinceramente mi aspettavo che lei facesse un esame veloce e mandami da uno psicologo e ho pensato che "era un problema mentale o emotivo".

Lei arrossì, ma annuì mentre si metteva le mutandine.

Un cerchio scuro penetrò lentamente nel tessuto e la sua vista rese Andrew ancora più eccitato.

Fece per rimettersi il reggiseno, ma Andrew le fece cenno di avvicinarsi, guardandola incuriosito.

Lei cedette, avvicinandosi di nuovo a lui.

Alzò immediatamente la mano per accarezzarle il seno nudo con un leggero sospiro.

"Grazie. Mi dispiace, sei solo... penso che tu sia incredibilmente sexy, e le cose sono state così affrettate, io... non volevo perdere l'occasione di toccarli finché ne avevo."

Lei sorrise dolcemente, chinandosi per baciargli la guancia prima di fare un passo indietro per rimettersi i vestiti e provare a riprendere la loro discussione ufficiale ad alta voce.

"Probabilmente è così, ma dal momento che non hai detto esattamente alle infermiere di cosa si tratta per i documenti, probabilmente dovrei... organizzare un'altra visita qui così possiamo essere sicuri dei sintomi."

Lui annuì, alzandosi e cominciando a indossare i suoi vestiti.

Rosa lo guardò brevemente mentre finiva di sistemarsi i vestiti.

Si lisciò la gonna a tubino, persa nei suoi pensieri.

Alla fine ruppe il silenzio.

"Se vuoi,... accetterei volentieri il tuo numero di telefono. A dire il vero, non sono sicuro di cosa penso, al di fuori della... foga del momento, ma..."

"Capisco perfettamente, Rosa. Lo so... non ci conosciamo molto bene, ma... spero che tu sappia che non prendo questa cosa alla leggera, ci si può fidare di me, e io... Lo apprezzo moltissimo... tutto quello che è successo. Non userei mai nulla di tutto questo per ferirti, o ferirti intenzionalmente in alcun modo. Se non vuoi che ciò accada di nuovo, accetterei, rispetterei e comprenderei quella scelta, ma spero sinceramente che non te ne pentirai, e spero di poter continuare ad essere "Il tuo paziente, almeno. Sono venuto qui per un motivo, la tua storia e il feedback sulle tue capacità di medico. Non posso dirtelo quanto questo mi ha reso felice, o... come mi ha fatto sentire di nuovo un uomo.".

Le spalle di Rosa sembravano abbassarsi un po'.

Una tensione che abbandonò la sua postura mentre sorrideva calorosamente.

"Grazie, Andrew; lo apprezzo davvero. Anche a me... è piaciuto davvero tanto quello che è successo."

"Allora posso lasciarti il mio numero?"

Lei annuì, girandosi per prendere un blocco di carta e una penna. Poi glielo offrì.

Lo prese e scrisse velocemente il suo numero, poi glielo restituì.

Strappò il lenzuolo di sopra e lo infilò in una piccola tasca della camicetta.

I loro occhi si incontrarono, indugiarono per un attimo, poi Andrew sorrise e aprì le braccia.

"Ti dispiacerebbe un abbraccio...?"

Lei rise, scuotendo la testa mentre si abbracciavano.

Quando fecero un passo indietro e Rosa si voltò per raccogliere le sue cose, i suoi occhi scrutarono l'ufficio.

A parte il fatto che la carta velina sul lettino era orribilmente spiegazzata, nessuno poteva dire cosa fosse appena successo lì.

Andrew, capendo cosa stava facendo, annusò un po' l'aria e poi si avvicinò ad una delle finestre per aprirla.

Rosa sorrise timidamente, annuendo.

"In tal caso, Andrew... uh, signor Harrison, andremo a fondo del problema che sembra avere, ma avremo bisogno che tu fissi un altro appuntamento per un follow-up più tardi questa settimana, e prima è, meglio è."

Si morse il labbro, le fece l'occhiolino e disse abbassando la voce:

"Non farmi aspettare".

.

IN UFFICIO

"Hai bisogno di qualcos'altro, signorina Sanders?"

Alzai lo sguardo dalle righe e colonne sfocate del foglio di calcolo stampato e sbattei le palpebre verso Vicky, la mia segretaria, in piedi sulla soglia del mio ufficio, con la borsa appesa sulla spalla destra.

Da qualche parte dietro di lei poteva sentire le altre ragazze in ufficio chiacchierare mentre chiudevano il lavoro per il fine settimana.

Quando finalmente le sue parole si sono registrate nella mia mente, gli ho fatto un rapido cenno del capo e ho agitato le dita.

"Vai avanti . Dovrei aver finito qui tra circa cinque minuti. Buon fine settimana."

Lei ha strizzato gli occhi per un momento, ma ha fatto eco alle mie ultime parole solo con un sorriso prima di voltarsi e unirsi ai suoi colleghi.

Sì, mi conosceva molto bene.

Cinque minuti erano solitamente dai quindici ai venti in una giornata normale. Ma era il venerdì prima di un lungo weekend di tre giorni e con il completamento di un riepilogo del rapporto trimestrale previsto martedì mattina.

Chi stavo prendendo in giro?

Starò qui almeno per un paio d'ore.

E questo solo se fossi riuscito a concentrarmi sull'ottenimento dei numeri giusti.

Dopo la prima ora, con solo qualche piccolo progresso, ho fatto un salto al distributore automatico nella sala relax per una bibita piena di caffeina.

Tornato alla mia scrivania con la carbonatazione che mi solleticava la gola a causa di un drink profondo, rimasi appoggiato alla scrivania.

Forse una prospettiva diversa aiuterebbe.

Proprio in quel momento sentii un ringhio basso.

Lungi dall'essere sorpreso, poiché conoscevo il proprietario di quel suono, alzai appena lo sguardo per vedere il signor Robert González appoggiato allo stipite della porta, con le mani nelle tasche dei pantaloni attillati.

Era l'emblema dell'alto e del bello, anche se non era completamente nero... almeno non nella parte che potevi vedere.

I suoi capelli argentati erano tagliati più corti sui lati e sulla schiena, facendolo sembrare più vecchio dei quarant'anni che avrebbe dovuto avere.

E la sua pelle leggermente abbronzata indicava che non le dispiaceva stare all'aria aperta, anche se sapeva di non essere ancora riuscita a costruire legami con il resto dei dirigenti uomini.

"Trascini le ultime gocce di energia a mezzanotte, Erika?"

Inarcai un sopracciglio ben curato e alla fine risposi:

"Sono le sei. È solo metà pomeriggio."

Alzò leggermente le spalle.

"È mezzanotte da qualche parte."

"A Londra."

"Hmm?"

"Se qui sono le sei, a Londra è mezzanotte."

Robert ridacchiò.

"Tu e i tuoi numeri."

Alzai gli occhi al cielo e mi sporsi in avanti per trovare la parte superiore di una colonna di un foglio di calcolo e ho fatto scorrere il dito verso il basso.

Un ringhio più profondo raggiunse le mie orecchie.

Alzai lo sguardo in tempo per vederlo aggiustarsi il nodo della cravatta al collo.

Un secondo dopo, mi resi conto che poteva vedere la parte superiore della mia maglietta.

Mi alzai di scatto, mi sedetti sulla sedia e mi avvicinai alla scrivania, sentendo le guance arrossare.

Riuscii a malapena a trattenermi dal sorridere quando sospirò.

"Cosa posso fare per te, Robert?"

Nel momento in cui le parole lasciarono la mia bocca, chiusi gli occhi e increspai le labbra.

Maledetto errore freudiano.

"Non chiedo alcun compenso, Erika, ma se sei disposto a pagare..."

"È stato un errore", mormorai, fingendo di concentrarmi nuovamente sulle pagine stampate sparse davanti a me.

Nella mia testa, lo pregai a malincuore di andarsene.

La compagnia non fu del tutto spiacevole.

Ma volevo fare questo rapporto così da poter andare a casa e immergermi nella mia vasca idromassaggio con un bicchiere di vino e non pensare a nulla finché non suonò la sveglia martedì mattina.

"I numeri resistono, eh?" disse con una risata sommessa.

Si udì un leggero rumore di scarpe che svolazzavano sul tappeto.

Un attimo dopo era in piedi davanti alla mia scrivania.

Quando alzai di nuovo lo sguardo, aveva un sopracciglio alzato e il suo sorriso si allargò mentre si toglieva la giacca, appoggiandola sullo schienale di una delle sedie per i visitatori.

Deglutii mentre faceva scivolare la sua grande mano lungo il davanti del gilet grigio abbottonato, tirando i polsini della camicia bianca prima di sedersi sulla sedia di fronte.

Incrociò il ginocchio destro sul sinistro e intrecciò le mani in grembo.

Ho cercato di ignorarlo mentre lavoravo, bevendo di tanto in tanto dalla mia lattina di soda.

E a dire il vero, i numeri cominciarono ad avere un senso.

Non passò molto tempo prima che potessi finalmente iniziare a scrivere il mio rapporto.

Non parlava, ma potevo sentire il suo respiro regolare.

Sento i suoi occhi su di me.

Tuttavia, ero abituato a ciò da parte dei clienti, quindi l'attenzione di Robert non mi ha turbato.

Nemmeno quando potevo vedere nella mia visione periferica che si stava lentamente sbottonando il gilet e allentando il nodo della cravatta.

Mi morsi l'interno del labbro mentre lui aggiustava la sua posizione e si rilassava sulla sedia, cercando di non pensare a lui che cercava di nascondere la sua eccitazione.

Con gli occhi fissi sullo schermo del computer, ho sottolineato nel mio rapporto l'origine delle nostre perdite e poi ho delineato una proposta per recuperare quei fondi nei prossimi due trimestri.

Pochi minuti dopo, la sua voce mi sorprese, ricordandomi la sua presenza.

"Sembra che tu stia lavorando davvero duro lì, Erika. Anche quando mi guardi con la coda dell'occhio. Pensi che non noti queste cose?"

Il nodo in gola sembrava apparire dal nulla.

In effetti, faceva male deglutire, e questa volta la soda non servì a niente.

Dargli una rapida occhiata era stata una pessima idea.

Ho chiuso gli occhi per un momento e poi ho sbattuto le palpebre rapidamente per rimettere a fuoco.

La testa di Robert era inclinata, l'angolo della bocca si contraeva.

"Cosa c'è che non va? Il gatto ti ha mangiato la lingua?"

Quando continuavo a ignorarlo, emetteva un suono "tsi, tsi, tsi".

Non potei fare a meno di imprecare sottovoce mentre lui si alzava e girava intorno alla mia scrivania, fermandosi direttamente dietro di me.

"Lavori troppo. È il fine settimana. Dovresti essere a casa o fuori a divertirti, non passare il tempo in ufficio."

Sentendolo toccare la base dei miei capelli, rabbrividii.

Le mie dita tremarono per un attimo sulla tastiera.

Anche il mio respiro era instabile mentre espiravo.

Accidenti a quest'uomo.

Ci avevo pensato per due mesi... da quando i capi ci hanno presentato ad una riunione aziendale.

Eravamo allo stesso livello di autorità, ma di dipartimenti diversi.

I dettagli delle nostre aree non si intersecavano nemmeno.

Tuttavia, aveva trovato un motivo per venire nel mio ufficio almeno una o due volte alla settimana.

Ma mai dopo l'orario di lavoro.

E non era mai stato così... lanciato.

sempre stato un professionista, ma aveva ballato sul filo della corda.

Segretamente, avrei voluto che si lanciasse un po'.

Non per darmi ragioni per denunciarlo, ma per sapere con certezza se era davvero interessato a me... o se semplicemente gli piaceva ostentare la sua virilità.

Era l'unico dirigente dell'azienda.

La maggior parte degli uomini sembrava essere d'accordo con quello status.

Un paio di loro mi avevano fatto sapere intorno al distributore d'acqua che pensavano che le donne appartenessero all'altro lato della scrivania, ma nessuno aveva avuto il coraggio di dirmelo in faccia.

Ho pregato che quel momento non arrivasse mai da Robert.

E adesso?

Avevo la sensazione che finalmente avrei visto il vero lato dell'uomo che aveva perseguitato i miei sogni in più di un'occasione.

Tuttavia, me ne pentirei?

eravamo soli

Il resto del pavimento era buio oltre le finestre del mio ufficio.

E non c'era motivo che qualcun altro si trovasse nell'edificio a quell'ora.

I portieri sono arrivati solo sabato mattina.

E se le intenzioni di Robert non fossero state onorevoli?

E se...

"Sembra che potresti aver bisogno di alleviare un po' lo stress, non credi?"

La sua voce era proprio accanto al mio orecchio, le sue labbra la sfioravano leggermente, facendomi sussultare.

Mi scostò i capelli mentre parlava.

E poi mi ha morso il lobo dell'orecchio.

"Rispondimi, Erika."

Fuoco e ghiaccio.

Questo è l'unico modo in cui potrei descrivere ciò che si muoveva nel mio corpo alle sue parole... alle sue azioni.

Non potevo muovermi.

Respira a malapena .

E sicuramente non avevo una voce adatta a cui rispondere.

Robert all'improvviso mise le mani ai miei lati sulla scrivania, invadendo ulteriormente il mio spazio.

Almeno avevo lo schienale sottile della sedia tra noi.

Per adesso.

Mi tremavano le gambe.

Grazie a Dio, ero già seduto.

Questo è quello che stavi aspettando, vero?

Ho lottato per non guardarlo per paura di perdere l'ultimo briciolo di controllo sulle mie emozioni se lo avessi fatto.

Ma non potei trattenere il piccolo gemito che mi sfuggì dalle labbra quando si appoggiò a un lato del mio viso.

Le sue labbra toccarono di nuovo il mio orecchio.

"So cosa vuoi..." sussurrò, leccandomi il lobo. "Di che cosa hai bisogno."

Senza preavviso, allungò la mano e mi afferrò il polso sinistro, delicatamente ma con fermezza, rimuovendolo dalla scrivania e portandolo dietro la mia sedia.

Prendendo il dorso della mia mano nel palmo della mia mano, la posò saldamente sul rigonfiamento del suo inguine.

Gridai più forte, chiudendo gli occhi.

Anche le mie mani si chiusero istintivamente, la mia sinistra si avvolse ancora di più attorno alla sua erezione coperta.

La mia figa si strinse per la sensazione.

Emise un lieve gemito e mi rimise la mano sulla scrivania.

Il calore della sua presenza sembrò allontanarsi, ma non fermò il tremore che mi era salito alle spalle.

Il suo respiro caldo mi accarezzava ancora la parte posteriore del collo mentre espirava pesantemente.

Un attimo dopo, mi giro lentamente sulla sedia per affrontarlo... lasciando che i miei occhi siano direttamente allineati con il suo inguine.

Con un sussulto, mi appoggiai allo schienale della sedia, alzando lo sguardo giusto il tempo necessario per vederlo leccarsi le labbra.

Poi ho seguito le sue mani mentre si posavano sulla sua vita, slacciandogli la cintura di pelle.

Aprì il bottone così lentamente che lei non fu sicura di averlo fatto davvero finché non abbassò la cerniera.

Ho sentito un suo gemito mentre iniziavo a respirare in modo più irregolare e mi leccavo le labbra.

"E quella piccola lingua bagnata? Dio, sei così dannatamente sexy, Erika," ringhiò, infilandosi i boxer.

Ma si fermò e ritirò la mano un secondo dopo.

Con i pantaloni che pendevano seducentemente dai fianchi, mi afferrò i bicipiti e mi fece alzare facilmente in piedi.

Non c'era tempo per pensare.

Per esprimere il mio dissenso.

Un secondo prima stavo trattenendo il respiro, quello dopo le sue labbra calde premevano contro le mie con un fervore che non avevo mai sperimentato prima.

Calore.

Passione.

Disperazione.

Fame.

Tutto questo mi frullava in testa.

Anche io sentivo tutto questo?

La sua lingua entrò nella mia bocca, reclamandola.

Le sue dita si strinsero sulle mie braccia, avvicinandomi a lui.

La mia testa era gettata all'indietro mentre mi spingeva in avanti mentre il resto del mio corpo si appoggiava a lui.

Sento quel nodulo in altri posti adesso.

Incalzandomi.

Strofinandomi.

Mi eccita.

Mi stavo sciogliendo nel suo bacio quando, nel mio gemito, mi ritrovai di nuovo seduta.

Ansimando.

Mi chiedo cosa diavolo sia appena successo.

Il respiro di Robert era irregolare.

E si appoggiò alla scrivania, afferrandone il bordo con entrambe le mani.

Mi fissa, con gli occhi spalancati.

Quando abbassai lo sguardo sul suo petto leggermente ansante, mi sollevò il mento.

L'ha tenuto per me.

Poi fece scorrere il pollice sul mio labbro inferiore prima di premerlo in bocca per un secondo.

Ne ho approfittato e gli ho leccato il dito, cosa che lo ha fatto grugnire.

Ha spinto più in profondità.

Ben presto, stavo succhiando la punta del suo pollice fino alla prima nocca mentre lui me lo muoveva lentamente dentro e fuori dalla bocca.

Il mio mento era ancora stretto tra le sue dita.

I miei occhi erano concentrati sui suoi.

Entrambi emettevamo suoni sommessi di piacere.

E la mia figa non ha smesso di stringersi.

Ad un certo punto, la sua mano scivolò.

Mi tirò il mento per sistemarmi e caddi in avanti.

Riacquistai l'equilibrio appoggiando i palmi delle mani sulle sue cosce.

Proprio accanto al suo inguine.

Di conseguenza, gemetti e gli succhiai il dito più forte.

Il suo sibilo di sorpresa fu la sua unica reazione mentre continuava a spingere il pollice dentro e fuori dalla mia bocca.

Poi gemette mentre le mie mani stringevano i muscoli sodi sotto i suoi vestiti.

Un attimo dopo si era liberato ed era in piedi.

Robert infilò di nuovo la mano nei suoi boxer e poi rilasciò rapidamente il suo cazzo con un'espirazione brusca.

La corona, rossa ed eccitata, si trovava a pochi centimetri dalle mie labbra.

La punta brillava con un'unica goccia perlata al centro.

La mia lingua mi cadde dalla bocca in attesa.

"Dai."

La sua rude approvazione mi fece gemere e leccarmi di nuovo le labbra.

"Vieni, stronza."

Il suo corpo oscillò leggermente mentre le mie dita sostituivano le sue e avvolgevano la consistenza vellutata del suo membro duro, mantenendolo fermo.

Gemette forte nel momento in cui portai la punta della lingua all'occhio del suo cazzo.

Verso quella perla.

Leccandolo e riportandolo alla bocca.

Assaporando la salsedine del suo sperma.

Era lui quello che tremava adesso, appoggiato di nuovo al bordo della mia scrivania per sostenersi.

La rabbia cresceva nelle mie vene, ho dato un'altra leccata.

Il piatto della mia lingua, questa volta, sul piatto della sua testa flessibile.

Un'altra sua maledizione mi ha incoraggiato di più.

La mia terza leccata è stata più audace, vorticando attorno alla corona.

Una rapida occhiata al suo collo teso e agli occhi chiusi mostrò che lo avevo dove volevo ... alla mia mercé, anche se solo per pochi minuti.

Sigillando le mie labbra attorno alla sua corona alla leccata successiva, ho succhiato mentre stringevo delicatamente la mia mano attorno al suo grosso cazzo.

"Cazzo, troia, come fai a sapere come succhiare!"

Avevo anticipato la sua spinta e feci un passo indietro, rilasciando il suo cazzo con un leggero schiocco.

Dopo aver fatto un respiro profondo, l'ho ripreso in bocca.

Più in profondità adesso.

Succhiare mentre si accarezza.

Gemendo mentre mi metteva una mano sulla testa e mi faceva scorrere delicatamente le dita tra i capelli.

Spostando la sedia in avanti, ho goduto della sensazione contrastante, dura e morbida, di lui che scivolava sulla mia lingua.

La consistenza morbida dei suoi vestiti mentre facevo scorrere la mano libera su e giù per la sua gamba... per accarezzarle il sedere.

L'odore del muschio maschile sulla sua pelle ogni volta che il mio naso si avvicinava alla sua base.

Ma proprio come con il suo bacio, si allontanò prima che fossi pronto a fermarmi.

Lasciandomi gemere.

Poi mi ha rimesso in piedi, dove barcollavo sui talloni.

"Erika," sbottò, leccandosi le labbra.

Cercando i miei occhi.

Tenendomi contro di lui per il braccio destro, la sua mano libera si spostò sulla mia schiena e scivolò giù, accarezzandomi il sedere.

Al mio gemito, catturò il mio labbro inferiore tra i denti.

E poi succhiò dolcemente mentre io premevo il mio corpo contro il suo, aggrappandomi alle sue braccia.

"Roberto!" Rimasi senza fiato quando all'improvviso mi sollevò per i fianchi e mi fece sedere sulla scrivania.

Mi ha alzato la gonna a tubino e mi ha allargato le gambe, mettendosi in mezzo a loro.

Il suo cazzo era tra noi e ho sentito l'umidità del suo sperma inzupparmi la maglietta.

Con una mano che mi accarezzava la gamba destra attraverso le calze alte fino alla coscia, mi prese la nuca e mi baciò.

Molto difficile.

Con gli occhi chiusi, finalmente affondai nel suo abbraccio, le mie mani vagavano su di lui.

Toccandogli le spalle.

Sentire i suoi muscoli flettersi e rilassarsi.

Calore che si irradiava attraverso la maglietta.

Poi era sulla parte posteriore del collo.

I suoi capelli mi solleticavano la punta delle dita mentre la sua lingua mi saccheggiava la bocca.

Una delle mie scarpe mi cadde di colpo mentre cercavo di avvolgere la mia gamba attorno alla sua.

Anche lui era in movimento.

Afferro l'altro ginocchio, che sfregava contro il suo fianco.

Stringendomi delicatamente la parte posteriore del collo, facendomi inarcare e gemere.

Poi mi accarezzò il lato del seno prima di prenderlo nel palmo della mano e stringerlo più forte.

Il suo pollice mi accarezzò il capezzolo attraverso la camicetta e il reggiseno.

Nel mio stomaco potevo sentire il suo cazzo pulsare.

Duro e caldo.

Tenendogli ancora la parte posteriore del collo con la mano sinistra, ho fatto scivolare la destra tra di noi e ho avvolto le mie dita pruriginose attorno al suo cazzo appena sotto la corona.

Poi ho fatto scorrere il polpastrello del pollice avanti e indietro sulla punta, distribuendo lì il liquido sottile.

Prendere in giro di più la fessura.

Robert mi morse di nuovo il labbro inferiore, trascinandolo in bocca dove lo succhiò.

Lo girò con la lingua.

Poi coprì di nuovo le mie labbra con le sue.

Invitando la mia lingua a ballare.

Più mi baciava, più ringhiava.

Più mi baciava, più ondeggiavo contro di lui.

Il sudore si formò sulla parte posteriore del mio collo sotto le mie dita.

Lo sentivo anche tra le scapole.

Ancora una volta si tirò indietro, ma solo nelle nostre bocche.

Appoggiò la fronte contro la mia, il suo respiro caldo sul mio viso.

Ho continuato a giocare con il suo cazzo, ora la mia mano sinistra è appoggiata dietro di me.

"Tu... sei... una... giocosa... troia," ansimò, ritraendosi e baciandomi dolcemente.

Quando ha fatto scivolare la mano sotto la gonna, sulla mia coscia, l'ho lasciata andare e ho dovuto mettere anche l'altra mano dietro di me, per sostenermi.

Poi sono stato io a morderle il labbro inferiore perché le sue dita stavano accarezzando più verso l'interno.

"Merda!" Tutto il mio corpo tremava quando le sue nocche sfiorarono la mia figa coperta di mutandine.

" Sei sensibile," ridacchiò.

Sfiorando con le labbra l'angolo della mia bocca, mi colpì con le nocche altre tre volte.

A ogni colpo premeva più forte.

"Mmm. Erika?"

"Eh cosa?" Sbattei le palpebre e provai a deglutire.

"Sei così bagnata, cara troia."

Le mie braccia cedettero e caddi sulla scrivania con un grugnito.

Sentendo un dito che accarezzava l'esterno della mia figa sotto le mutandine, i miei occhi rotearono all'indietro.

Rimasi a bocca aperta e la voce mi rimase intrappolata in gola.

"Sei così ricco," mormorò.

Nella mia visione periferica, ho visto Robert scomparire.

Un secondo dopo, qualcosa di bagnato mi colò lungo la figa.

Alla fine ho urlato, realizzando che era la sua lingua.

Poi tubava.

Inarcando la schiena.

Torcendo i fianchi.

Sbattendo i palmi delle mani contro le carte sparse sotto di me.

Al piano di sotto, mi aveva tolto le mutandine e mi stava attaccando con un arsenale di labbra, denti e lingua.

Ma mai nulla di penetrante.

Eppure, questo è ciò che il mio corpo implorava silenziosamente.

Qualcosa niente...

Beh, non proprio qualsiasi cosa.

Volevo il suo cazzo, ma per ora mi accontenterei di un dito o due.

Tuttavia, non riusciva a leggere la mia mente.

E purtroppo non sono riuscita a trovare le parole per dirglielo direttamente.

L'altra mia scarpa cadde a terra mentre lui mi afferrava la caviglia e mi teneva la gamba su e fuori.

Mi dimenai ancora di più alla sensazione di lui che colpiva e circondava il mio clitoride con quello che probabilmente era il suo pollice.

E in realtà ho strillato quando mi ha leccato lentamente la figa su e giù.

Stuzzicare il mio sedere stretto e sensibile per un momento prima di ricominciare.

Mormorai una serie di imprecazioni intervallate da sussulti.

Lui gemette e lasciò andare la mia gamba dopo averla messa sopra la sua spalla.

Un secondo dopo, sentii un paio di dita scivolare lungo lo stesso percorso che la sua lingua aveva fatto prima di premere dentro di me.

"Roberto!"

Stringevo le mani lungo i fianchi e tutto il mio corpo si contorceva sulla scrivania.

Intrappolato tra il tentativo di allontanarsi dal suo tocco e il tentativo di seguire la sua mano mentre iniziava ad allontanarsi solo per spingere di nuovo.

Molte cose caddero dalla scrivania con un rumore metallico.

La sua risata profonda e reattiva mi disse che avevo ottenuto la reazione desiderata.

Continuò allo stesso ritmo, stuzzicando e distorcendo i miei desideri.

Ogni volta che la mia gamba cominciava a scivolare, lui prendeva la parte posteriore del mio ginocchio nell'incavo del gomito e se lo rimetteva sulla spalla.

Non ci ho messo molto ad arrivare, ansimando e imprecando il suo nome.

Roteare la testa avanti e indietro sulla scrivania.

Ora stringe e rilascia una mano sui suoi capelli.

L'altra mi massaggiava distrattamente il seno attraverso la camicetta, come faceva quando era sola.

La mia mente era ancora confusa qualche minuto dopo.

Respirare era un lavoro ingrato.

Ero consapevole che abbassava il piede, ma non potevo chiudere le gambe perché era ancora in piedi tra le mie cosce.

Si mosse da una parte all'altra per alcuni secondi prima che le sue dita accarezzassero le mie sensibili labbra inferiori, facendomi rabbrividire.

Poi si ritirò nuovamente.

Un attimo dopo, mi sollevò la testa direttamente sotto l'orecchio, accarezzandomi con il pollice la salita dello zigomo.

Il dolce aroma dei miei succhi familiari raggiunse il mio naso.

"Erica?"

Borbottai qualcosa... aprii brevemente gli occhi e vidi il suo volto posto davanti al mio.

Stava stringendo la mascella?

"Vuoi di più?"

Questa volta ho sbattuto le palpebre.

Mi ha leccato le labbra.

Ho provato a parlare, ma ho finito per annuire.

Emise un ringhio sommesso.

"Dillo."

La mia figa si strinse e i miei occhi si concentrarono per un momento.

La mia voce era dura quando parlavo.

"Sì. Fanculo, Robert."

I suoi stessi occhi sembravano brillare.

Fece un respiro profondo e mi fece un breve cenno del capo.

Tenendo la mano sulla mia guancia, l'ho sentito spingere di nuovo da parte le mie mutandine con la mano sinistra prima che il suo cazzo toccasse la mia figa.

Spinto in avanti.

Me lo ha messo dentro.

Grugnimmo in tandem mentre scivolava dentro.

Allungandomi lentamente centimetro dopo centimetro.

E poi il suo inguine si è appoggiato al mio.

Diede una rapida spinta con i fianchi, andando un po' più in profondità, facendo inarcare il mio collo all'indietro e facendo scattare le mie mani per afferrare le sue braccia.

Feci le fusa mentre lui si allontanava e spingeva di nuovo in avanti.

Ha accelerato un po'.

Stabilire il tuo ritmo.

Il mio respiro irregolare divenne più affaticato.

Non potevo smettere di leccarmi le labbra.

Così vicino.

Era di nuovo così dannatamente vicino.

Il suo avambraccio sinistro era appoggiato su di me, le sue dita mi sfioravano i capelli.

Girai la testa verso il suo tocco e chiusi gli occhi.

Gemendo mentre con l'altra mano mi prendeva a coppa e mi accarezzava il petto o il fianco attraverso i vestiti.

"Vieni per me."

Premette le labbra sulla mia fronte e mi afferrò il ginocchio, trascinandolo di nuovo sul fianco.

La mia schiena si inarcò in uno spasmo alle sue parole.

Rimasi a bocca aperta vedendo il modo in cui mi accarezzava deliberatamente, sia dentro che fuori.

Continuava a spingermi oltre quel dirupo.

Sbirciando.

E poi ho strangolato il suo nome, irrigidendomi prima che il mio corpo girasse a destra e poi a sinistra.

Mormorando parole che non aveva mai pronunciato prima...probabilmente non sapeva nemmeno cosa significassero.

Diavolo, probabilmente non erano nemmeno vere parole.

"Dio, sei così bella, Erika."

L'ansimare di Robert divenne ancora più affannoso.

I suoni che stava emettendo erano inebrianti.

Mi facevano contorcere sotto di lui.

Penso di essere venuto una seconda volta, o era una terza?

Prima di sentirlo teso.

Ha spinto più forte.

E poi ha ringhiato il mio nome prima di far cadere il suo corpo sul mio.

Il calore del suo corpo filtrava attraverso gli strati dei nostri vestiti inumiditi di sudore.

Il suo cuore batteva all'impazzata quanto il mio contro il mio petto.

O forse era mio quello che sentivo.

Poi la sua mano premette leggermente tra i miei capelli, il suo pollice mi accarezzò distrattamente la fronte.

Alternavo il deglutire l'aria al leccarmi le labbra.

Ho fatto scorrere la mano su e giù lungo la parte posteriore del suo braccio sinistro, che aveva infilato nel mio fianco dopo il suo rilascio, una volta che mi ero ripreso abbastanza da ricordare chi eravamo... dove eravamo.

Una scossa di assestamento mi ha scosso la parte bassa della schiena, provocando contrazione degli arti.

La mia figa si strinse e il suo cazzo si contrasse dentro di me.

Gememmo entrambi.

Si sollevò da me, baciandomi dolcemente prima di alzarsi completamente.

Mi morsi il labbro per evitare un altro spasmo mentre si ritirava completamente, felice di avere ancora la scrivania sotto di me come supporto.

Ipnotizzato, ho guardato l'uomo che avevo sul mio radar sin dal primo giorno.

Mi è venuto in mente che stava pensando a tutto questo, da quando è arrivato preparato, mentre lo guardavo togliere il preservativo usato, avvolgerlo in un paio di fazzoletti di carta e gettare il pacchetto nel cestino della spazzatura .

Rimase in piedi di fronte a me mentre metteva via il cazzo e si aggiustava i pantaloni.

Si aspettava che finisse di aggiustarsi i vestiti, magari si passasse una mano tra i capelli un po' disordinati.

Ma sono rimasto sorpreso quando mi ha sorriso e mi ha messo una mano dietro la spalla, aiutandomi a posizionarmi.

Alzarsi.

Prendendomi il viso tra le mani, mi baciò dolcemente.

Poi fece un passo indietro e inclinò la testa mentre giocava con i miei capelli.

Mi aggiustò la maglietta sulle spalle e mi passò le mani sul davanti, sul seno.

Mi ha raddrizzato la gonna con un'altra mano sul mio sedere, facendomi tremare e sorridere come un pazzo.

"Sei di nuovo presentabile."

La sua voce era molto dolce.

E il suo sorriso storto e i suoi occhi luminosi lasciavano intendere che probabilmente anche lui si stava ancora staccando dall'adrenalina.

Quando fui sicuro del mio equilibrio, usò i miei piedi per alzare i talloni e puntarli nella giusta direzione in modo che potessi rimettermi le scarpe.

Distrattamente, ho fatto scorrere le mani sul mio corpo dalle tette al culo per assicurarmi che tutto andasse bene, come se non l'avesse fatto lui stesso.

Poi ho rivolto lo sguardo alla scrivania e ho aggrottato la fronte.

Il mio foglio di calcolo di grandi dimensioni era spiegazzato.

C'era un miscuglio di caratteri che sembravano una lingua straniera sullo schermo del computer.

E mancavano la cucitrice e il secchiello per le matite.

Almeno ero stato abbastanza intelligente da salvare il mio rapporto prima che mi sedusse.

Gli elementi sopra menzionati sono riapparsi improvvisamente con due grandi mani maschili posizionate vicino al mio computer.

Quello era il rumore che aveva sentito prima.

Quasi al rallentatore, alzai la testa, osservando quanto bene gli stava bene il gilet su misura prima di fissare il suo sguardo scuro.

Per un lungo momento, Robert e io ci guardammo.

L'angolo della sua bocca era ancora piegato.

Ho notato che il mio polso batteva ancora forte.

Dopo aver allungato la mano alla cieca dietro di me, ho trovato uno dei braccioli e ho rimesso a posto la sedia.

È stato solo quando mi sono seduto e mi sono girato per cancellare le parole senza senso digitate sul computer che ha parlato.

"Cosa stai facendo, Erika?"

Ho guardato avanti e indietro tra lui e il monitor un paio di volte.

"Stavo finendo il mio rapporto che hai interrotto. Deve essere consegnato martedì mattina e non lo porterò a casa questo fine settimana."

Si tirò i polsini della camicia e le estremità del gilet prima di sedersi sulla stessa sedia per visitatori di prima e incrociare il ginocchio destro sul sinistro.

"Uh, cosa stai facendo, Robert?"

Aggiustò il nodo della sua tipica cravatta in modo che fosse più vicino al collo e poi intrecciò le mani in grembo.

"Aspetto che tu finisca il tuo rapporto."

Alzai un sopracciglio.

"Affinché?"

Robert mi rivolse un sorriso elegante.

" Per portarla a cena, ovviamente, prima di continuare in un ambiente più confortevole per la retrovisione. Se le fa piacere, signora Sanders."

Con un sussulto nel polso e una contrazione all'angolo delle labbra, tornai al mio monitor.

"Molto bene, signor Gonzalez. Dovreste aver finito qui tra cinque minuti circa."

FINE